D0366408

Noël 2010

Les Tudors

Dans la même collection

Jean-Paul Bertaud, *Les Royalistes et Napoléon.*
Olivier Chaline, *L'Année des quatre dauphins.*
Richard Evans, *Le Troisième Reich* (3 volumes).
Victor David Hanson, *La Guerre du Péloponnèse.*
Françoise Hildesheimer, *La Double Mort du roi Louis XIII.*
Eric Jager, *Le Dernier Duel.*
Ian Kershaw, *La Chance du diable. Le récit de l'opération Walkyrie.*
Paul Payan, *Entre Rome et Avignon. Une histoire du Grand Schisme (1378-1417).*
Guy Walters, *La Traque du mal.*

Liliane Crété

Les Tudors

Flammarion

ISBN : 978-2-0812-3925-8

Introduction

Quand on évoque le nom des Tudors, deux figures légendaires viennent aussitôt à l'esprit : Henry VIII, monarque de la démesure, le roi aux six épouses qui rompit avec le pape, instituant une royauté théocratique ; Elizabeth, que l'on compara à Déborah, à Astrée, à Diane, reine vierge séductrice qui donna à l'exercice du pouvoir un caractère emblématique. Nous connaissons aussi Mary Tudor, la fille de Catherine d'Aragon, à cause des bûchers qu'elle fit allumer pour y consumer les évangéliques opiniâtres. Mais que savons-nous de la vie et du règne des deux autres Tudors, Henry VII et son petit-fils Edward VI ? Tous deux pourtant marquèrent de leur empreinte l'Angleterre moderne. Même si Edward ne fut qu'un enfant roi dont la vie s'éteignit lorsqu'il avait seize ans, c'est sous son règne que l'Angleterre adopta la Réforme dans son intégralité, ce que ne voulait pas son père. Mary, qui lui succéda, fit revenir pour un bref moment l'Angleterre dans le giron du pape. Épouse de Philippe II d'Espagne, elle mourut sans héritier après seulement cinq années de règne et sa politique de répression eut pour effet de renforcer l'anti-catholicisme romain du peuple anglais.

```
                    HENRY VII                    ELIZABETH
                  Roi d'Angleterre                 d'YORK
                    1457 † 1509                   1466 † 1503
                         |_____|
          _____|_____
         |                              |                                |
    ARTHUR      MARGARET           HENRY VIII                       MARY TUDOR
    TUDOR        TUDOR                Roi                        □ Épouse : Louis XII
  Prince de    1489 † 1541       d'Angleterre                      Roi de France
    Galles    □ Épouse : James IV  1491 † 1547                   □ Épouse : Charles
  1486 † 1502  Roi des Écossais                                     Brandon
                    |                    |
              JAMES V          _____|_____          FRANCES
              STUART          |          |            |            BRANDON
           Roi des Écossais  MARY I   ELIZABETH I  EDWARD VI       1517 † 1559
             1512 † 1542     Reine      Reine         Roi        □ Épouse : Henry
                    |      d'Angleterre d'Angleterre d'Angleterre     Grey
                    |      1516 † 1558  1533 † 1603  1537 † 1553
               MARY
               STUART                                              JANE GREY
          Reine des Écossais                                        Reine
             1542 † 1587                                          d'Angleterre
                    |                                              1537 † 1554
               JAMES VI
               STUART
           Roi des Écossais
             1566 † 1625
```

La dynastie des Tudors

Pour comprendre l'histoire des Tudors, il faut savoir que de Henry VII à Elizabeth revient comme un glas lancinant la question de la légitimité et de la succession. Car Henry VII, le premier Tudor, n'a pas hérité de la couronne d'Angleterre mais l'a conquise sur le champ de bataille, l'arrachant aux rois Plantagenêt qui la tenaient des rois angevins. Un roi Plantagenêt succéda à l'autre, par héritage ou par usurpation, jusqu'à ce que la couronne passe aux Tudors en 1485, lorsque, sur le champ de bataille de Bosworth, un compagnon du preux chevalier Henry, Lancastre par sa mère, ramassa la couronne de Richard III d'York, qui gisait au sol, et la posa sur sa tête. La bataille de Bosworth Field fut le dernier épisode de la guerre des Deux-Roses qui mit aux prises, durant trente ans, la maison royale de Lancastre et la maison royale d'York.

Les Tudors régnèrent pendant plus d'un siècle, faisant entrer l'Angleterre dans les temps modernes. Ils firent également de l'Angleterre un royaume stable, puissant et riche dont on rechercha l'alliance et redouta le déplaisir. L'historien victorien James Gairdner a écrit : « Richard fut le dernier d'une famille de soldats ; Henry fut le premier d'une dynastie d'hommes d'État. » La formule est heureuse, encore que Henry VII fut soldat avant d'être homme d'État et que Henry VIII se vit toujours en preux chevalier.

Richard III avait laissé un royaume appauvri, affaibli par cent cinquante ans de conflits armés : guerres sur le continent, guerres sur les marches celtiques, guerres fratricides pour le pouvoir, auxquelles s'ajoutèrent les ravages de la grande peste. Henry VII allait lui apporter la stabilité et la paix, en unissant d'abord les York aux Lancastre par son mariage avec une princesse d'York. Il fut aussi le premier à s'intéresser à la mer, conscient de la protection qu'elle offrait contre les envahisseurs et des routes qu'elle ouvrait pour l'exploration de nouvelles terres. Un des atouts des Tudors fut de faciliter le commerce maritime et ils n'eurent aucune honte à s'y enrichir. Bien au contraire, la conquête des marchés motiva souvent leurs décisions politiques.

S'il est une chose qui apparaît clairement dans leur histoire, c'est la force du principe héréditaire. Henry VII fut obsédé sa vie durant par l'idée qu'un prince résolu, à la tête d'une armée à peine plus forte que celle qu'il avait menée contre Richard III, pût le renverser. En quête de légitimité, il plongea ses racines dans les terres du roi légendaire Arthur, figure idéale du noble guerrier défendant son royaume contre ses ennemis, naturels ou surnaturels. Sa gestion des affaires fut exemplaire. Il évita les guerres, examina personnellement les comptes, se montra parcimonieux et amassa un trésor que son fils dilapida.

Henry VIII pourrait porter le titre de Henry le Magnifique : beau, athlétique, excellent jouteur, musicien, poète et protecteur des arts, son règne se caractérisa par sa magnificence, ses excès, ses démêlés avec le pape et sa pléthore d'épouses qu'il se choisit afin de perpétuer sa dynastie. Car c'est la quête d'un héritier légitime, nous le verrons, qui lui fit répudier ou exécuter pour adultère ses épouses successives et rompre avec le pape. Cette rupture donna son indépendance à l'Angleterre, l'enrichit des biens de l'Église et transforma le paysage de la chrétienté occidentale. Ce qu'on appelle la « Réformation henricienne » fut un premier pas vers la *via media* protestante mise en place sous le règne de sa fille Elizabeth qui se retrouva, parfois malgré elle, défenseur des protestants européens. Sous son règne, comme aussi sous le règne de sa demi-sœur Mary, le problème de la légitimité et de la descendance se posa avec plus d'acuité encore parce qu'elles étaient femmes. Bien que la loi salique n'existât pas en Angleterre, il y avait toujours des hommes pour dire qu'une femme monarque est une transgression de l'ordre naturel.

Vient naturellement la question : pourquoi Elizabeth refusa-t-elle de se marier, alors que le problème de la succession était urgent, si urgent même qu'à la Chambre des lords, certains voulaient imposer à la reine un mari ? Elle eut des favoris. Mais elle ne laissa jamais son cœur l'emporter sur la raison. Elle n'eut en vérité qu'un seul amour, auquel elle voua sa vie : son royaume. Elle le dit et le répéta et elle utilisa, pour gouverner, le pouvoir chevaleresque, sur l'imagination de ses sujets, de ce qualificatif de Reine Vierge.

D'innombrables biographies et œuvres savantes ont été consacrées aux Tudors et à leur règne. L'objet de ce livre est de raconter leur histoire en utilisant non seulement ces ouvrages, mais encore les sources originales que sont les correspondances, les rapports des ambassadeurs, les témoignages et les fameux *Calendars of State Papers*, afin de mieux saisir et de mieux restituer l'éclat et les ombres de la dynastie.

I

Naissance d'une dynastie

Le roi est mort, vive le roi

Voici donc que l'hiver de notre déplaisir se fait été de
gloire avec ce soleil d'York. Et ces nuées qui menaçaient
notre maison, le sein profond de l'océan les engloutit. La
victoire à nos fronts vient poser ses couronnes ; nos
armes bosselées sont pendues en trophées ; les alarmes
font place à de joyeuses fêtes et les marches à d'aimables
chansons.

Ainsi commence le drame historique de
Shakespeare : *Richard III*. Le dramaturge a fait de
Richard d'York, dernier des rois Plantagenêt qui
régnaient sur l'Angleterre depuis 1154, une sorte de
monstre dont la noirceur de l'âme se reflète dans
l'aspect physique : il est bossu, tordu. Il ne fut sans
doute pas aussi malfaisant que Shakespeare et tous
les propagandistes Tudors du XVIe siècle le montrèrent ; il fut même pendant des années un excellent
administrateur au service de son frère, Edward IV,
et un soldat habile. Seulement, après la mort
d'Edward, l'ambition le poussa à envoyer à la Tour
de Londres ses jeunes neveux et à les faire assassiner.

Richard n'eut plus ensuite qu'à se faire couronner. On peut dire que son bref règne (1483-1485) marque le passage du Moyen Âge aux Temps modernes. Il fut le dernier roi anglais à mourir sur le champ de bataille, revêtu de son armure royale et portant sa couronne sur la tête. Il fut tué le 22 août 1485 à la bataille de Bosworth Field, dernier des épisodes sanglants de la guerre des Deux-Roses, et son corps nu, mutilé et boueux, ficelé sur un cheval, fut transporté chez les franciscains de Leicester pour être inhumé dans la chapelle des frères mineurs. Le vainqueur, Henry Tudor, fut couronné sur le champ de bataille par un de ses partisans qui avait ramassé la couronne du mort dans un buisson. Le nouveau roi montra sa reconnaissance en armant aussitôt onze chevaliers.

La ville de Londres lui réserva un accueil enthousiaste. Le Lord-maire et les représentants des différentes corporations s'empressèrent de le féliciter pour avoir sauvé son peuple de la tyrannie, et un *Te Deum* fut chanté dans la cathédrale Saint-Paul. Même à cette époque, l'assassinat de deux enfants innocents était vu comme un crime abominable. Huit jours plus tard, Henry fut couronné officiellement en l'abbaye de Westminster. L'ère Tudor commençait.

Jusque-là, la vie de Henry VII avait été rythmée par les péripéties de la guerre fratricide que s'était livrée, durant trente ans, les maisons de Lancastre et d'York. Fils posthume d'Edmund Tudor, mort alors qu'il était prisonnier au château de Carmarthen, Henry naquit en 1457 chez son oncle Jasper Tudor, en la forteresse de Pembroke, au pays de Galles. Les aléas de la guerre amenèrent son oncle à partir à l'étranger et il fut laissé à la garde d'un tuteur, William Herbert. Lorsque Pembroke tomba aux mains des Yorkistes, le jeune Henry partit à son tour en exil. Il passa quatorze ans en Bretagne, dernier des grands duchés de France à avoir virtuellement conservé son indépendance. La guerre entre le parti de la Rose rouge, les Lancastre, et celui de la Rose blanche, les York, fut l'occasion de batailles sanglantes dans lesquelles la noblesse se jeta avec violence et jubilation si bien que Henry Tudor se retrouva héritier de la maison de Lancastre. Quand Richard III s'empara de la couronne, Henry, avec le soutien du clan Lancastre et de Yorkistes rebelles, décida que le moment était venu de reconquérir la couronne. Il rassembla des troupes et des équipements, avec l'appui et l'argent des Français, et débarqua à Mill Bay, dans le Pembrokeshire, accompagné de son oncle Jasper Tudor et du comte d'Oxford, John de Vere, sans doute le plus haut personnage du royaume après le roi, et c'est de ce traditionnel bastion des Lancastre qu'il lança son attaque contre Richard III. L'armée de Henry Tudor était composée d'environ 2 000 hommes dont un fort contingent d'Écossais, de Bretons et de mercenaires français. L'armée de Richard était très supérieure en nombre. Seulement le roi était troublé par des rêves prémonitoires funestes qu'il avait faits la nuit précédente, et son commandement s'en ressentit. Le premier assaut contre les forces de Henry n'ayant pas réussi à les disperser, il prit lui-même la tête du second assaut qui lui fut fatal.

Le tyran était bien mort, mais le nouveau roi avait fort à faire pour redonner des couleurs au Royaume. Henry VI, Edward IV, Edward V, Richard III, les quatre prédécesseurs d'Henry VII, avaient tous perdu leurs trônes, et trois d'entre eux définitivement. Durant cette période, la couronne anglaise avait changé six fois de mains. Même si les batailles de la guerre des Deux-Roses furent sporadiques, elles avaient plongé le pays dans le marasme économique et provoqué des ravages dans la noblesse. Le commerce stagnait, désorganisé par la guerre, la population avait sérieusement décliné et le trésor était vide, peu ou prou. Henry devait reconstruire, pacifier, redonner confiance au pays, calmer les appétits de sa noblesse et faire oublier qu'il était un « usurpateur » aux yeux de certains.

Sa légitimité était en effet douteuse par comparaison avec Edward Plantagenêt, le jeune comte de Warwick, garçon de dix ans un peu simplet, fils de George d'York, duc de Clarence. Du côté de sa mère, Henry était bien relié aux Plantagenêts, mais du côté de son père, il n'avait pas de sang royal. Cela ne l'empêcha pas, lorsqu'il réunit son premier Parlement, en novembre 1485, d'affirmer qu'il avait obtenu la couronne par héritage et que la victoire qu'il avait emportée à Bosworth Field montrait que Dieu était de son côté et qu'il approuvait son couronnement. Pourtant, c'est un fait qu'il avait conquis la couronne d'Angleterre par les armes plus qu'il n'en avait hérité, et le Parlement en prit acte :

Henry, par la grâce de Dieu, roi d'Angleterre et roi de France, et seigneur d'Irlande, au parlement tenu à

Westminster le 7ᵉ jour de novembre, la première année
du règne du roi Henry VII après la conquête.

Bien que les Anglais eussent été boutés hors de
France à l'issue de la guerre de Cent Ans, ne conser-
vant plus que Calais, les rois d'Angleterre consi-
déraient toujours que la couronne française leur
appartenait. La perte de la France affligea toujours
profondément les Anglais, et quelques têtes folles
auraient aimé lancer une expédition pour reconquérir les anciens territoires des Plantagenêts. Toutefois,
le nouveau roi avait d'autres préoccupations, et
d'abord celle de sa légitimité. Henry comprenait
qu'il ne pouvait pacifier et relever le pays si celle-ci
etait mise en doute. Afin d'écarter tout danger, ses
fidèles conduisirent le jeune Warwick à la Tour
– d'où il ne sortit jamais. Mais la question obséda le
roi Tudor. Pour consolider sa position et apporter la
tranquillité dont le royaume avait besoin, Henry VII
choisit immédiatement pour épouse Elizabeth d'York,
unissant ainsi les deux maisons rivales. Elizabeth
n'avait pas encore vingt ans. Elle était belle, avec un
joli teint et des tresses blondes. Elle était aussi douce
et pieuse, dans la tradition des dames de la poésie
courtoise. Henry, de huit ans son aîné, était très
grand, athlétique et bon cavalier. Ce mariage très
politique se révéla excellent et, avant de mourir en
couches, en 1503, Élisabeth avait eu le temps de
donner sept enfants à Henry, dont quatre survé-
curent : Arthur (1486-1502), Margaret (1489-1541),
Henry (1491-1547) et Mary (1496-1533). La succession était assurée.

Un roi pacifique et parcimonieux

Henry VII se consacra pleinement aux affaires. L'Angleterre, seul État européen cohérent avec l'Espagne et la France, était néanmoins une puissance de second ordre, un petit pays pastoral et agricole peu peuplé en comparaison de ces deux grands. Le royaume ne comprenait que l'Angleterre proprement dite et le pays de Galles et n'avait alors que deux villes importantes, Londres et Bristol. Le roi d'Angleterre portait le titre de Seigneur d'Irlande, mais l'Irlande, théoriquement conquise depuis le XII⁰ siècle, était un maillon faible, prête à se porter du côté des ennemis du roi en toute occasion. Quant à l'Écosse, qui formait un État indépendant, hostile et turbulent, elle était une épine douloureuse dans la chair anglaise. Aux frontières nord du royaume, les Écossais représentaient un danger permanent à cause de leurs multiples incursions en territoire anglais et de leur alliance traditionnelle avec la France.

Le roi prit rapidement conscience que pour être un monarque fort et respecté, il fallait d'abord être riche. Il n'avait jamais été un homme de plaisir ; sa cour fut terne, et il fut parcimonieux par goût et par nécessité. Il rechercha toujours la paix mais on peut supposer que son pacifisme était motivé en partie par son manque d'argent. S'appuyant pour gouverner sur trois classes puissantes, la *gentry*, les *yeomen* (franc tenanciers) et les marchands, il parvint à mater les grands féodaux, rescapés de la guerre des Deux-Roses, s'entoura de bons et fidèles conseillers, qu'il choisit tant parmi les York que parmi les

Lancastre, et fit une place auprès de lui à des hommes de valeur appartenant aux classes moyennes. Il gagna ainsi le soutien d'une large majorité d'Anglais. Si, dans l'ensemble, tous se réjouissaient de la fin de la guerre fratricide entre les York et les Lancastre, on ne peut dire que le retour au calme fut immédiat. Les plaies causées par la guerre des Deux-Roses mirent du temps à se cicatriser et les rancœurs, les intrigues et les luttes de pouvoir allèrent encore bon train quelque temps.

Henry gouverna avec des moyens simples, solides et efficaces. Il réorganisa l'armée, encouragea le commerce et la navigation en faisant construire des navires qu'il louait à des marchands, interdit par un Acte de navigation d'importer les vins de France sur des bateaux étrangers, conclut un traité commercial avec les Pays-Bas, le *Magnus Intercursus*, posant les premiers jalons de la politique des Temps modernes : la conquête des marchés extérieurs. Il prit part aux découvertes maritimes les plus importantes, accordant des lettres patentes à Giovanni Cabot, citoyen de Venise plus connu sous le nom de John Cabot, qui reçut pour mission de découvrir une route septentrionale qui mènerait à Cathay (la Chine) et aux îles aux épices, les fameuses Moluques, que toutes les puissances occidentales convoitaient pour leur poivre et leur clou de girofle, mais aussi « pour soumettre au nom du roi tous les villages, villes, châteaux, îles ou terres fermes qui seraient découvertes ». Le navigateur découvrit ainsi le Labrador.

Sur le front économique, le roi se montra particulièrement habile. D'abord, il réussit à renflouer les caisses du Trésor royal grâce à des héritages. La guerre des Deux-Roses avait coûté la vie à un très grand nombre de seigneurs et des familles entières avaient disparu. Près d'un cinquième du sol se trouvait sans propriétaire. En vertu de la loi, les terres en deshérence revinrent au roi, ce qui fit de lui un grand propriétaire terrien, d'autant qu'il ne distribua au cours de son règne que très peu de terres pour services rendus. Ensuite, il renfloua les caisses par le biais des revenus douaniers et des amendes infligées par la justice aux contrevenants. Henry voulut que de fortes amendes frappent les marchands qui faisaient de la contrebande, les propriétaires terriens qui ne respectaient pas les lois sur la forêt, les officiers royaux ou territoriaux qui n'avaient pas ou mal fait leur devoir. Il dompta aussi les turbulents barons par des taxes et des cautions, les taxant même parfois pour des infractions imaginaires. Henry vendit parfois sa grâce contre de l'argent, surtout vers la fin de son règne : pour des crimes graves, le pardon du roi pouvait rapporter gros. Mais il est juste de préciser que sa grâce était accordée avant que l'affaire vînt en jugement. Autre source de revenus importante : les droits féodaux. Lors du parlement de 1504, Henry réussit à collecter une aide féodale pour l'adoubement d'Arthur, qui était mort et avait déjà été adoubé longtemps auparavant, et pour le mariage de la princesse Margaret, qui avait eu lieu deux ans plus tôt. L'Église se révéla également une bonne source de profit pour la couronne. Le moindre siège épiscopal vacant était aussitôt récupéré par le roi. Les résultats furent remarquables : pauvre au début de son règne, Henry VII finit sa vie dans l'opulence.

Sur le front diplomatique, il entama des tractations longues et difficiles avec le roi des Écossais qui se termina par une trêve de sept ans, que les Écossais violèrent un an plus tard par une nouvelle incursion en territoire anglais. Conscient du danger français, Henry tenta en vain de limiter l'expansion française vers la Bretagne, la voisine d'en face, en s'appuyant sur la Bourgogne, le Saint-Empire, l'Espagne et le Portugal. En homme de son temps, il chercha à maintenir la paix par des mariages opportuns. Il entreprit ainsi de cimenter la trêve fragile avec l'Écosse en organisant le mariage de sa fille Margaret avec le roi des Écossais James IV. Seulement Margaret, née en 1489, n'était pas en âge de faire un véritable mariage et James n'avait guère envie de faire la paix, sans compter qu'il avait des visées sur une princesse espagnole, union que Henry redoutait le plus. En juillet 1499 enfin, un traité de paix et d'alliance fut signé entre l'Angleterre et l'Écosse, et en décembre les négociations en vue du mariage prirent un tour sérieux. James ne donna toutefois son accord définitif qu'en janvier 1502. Ce fut un mariage heureux et extrêmement profitable aux deux pays.

Mais la grande réussite d'Henry VII fut le mariage de son fils Arthur avec Catherine d'Aragon, fille des Rois catholiques Ferdinand d'Aragon et Isabelle de Castille. Un morceau de choix, étant donné le prestige de la famille. Les tractations entre le roi anglais et Sa Majesté catholique furent longues et rudes. Tant Henry que Ferdinand étaient de redoutables négociateurs. Les deux partis finalement s'accordèrent pour que Catherine vînt en Angleterre lorsqu'Arthur aurait atteint ses 14 ans ; elle garderait ses droits sur la couronne de Castille si elle devenait la seule survivante de la famille, et Ferdinand payerait sa part des frais de noces en plusieurs fois. Le montant de la dot fut fixé à 200 000 escudos, dont Ferdinand ne paya jamais que la moitié, de même d'ailleurs que les frais de noce. La princesse embarqua pour l'Angleterre en 1501, où elle arriva au mois d'octobre. Rapportant à un ami l'arrivée de Catherine dans Londres, Thomas More écrivit que son escorte était risible car « composée, à l'exception de trois ou quatre, de bossus, de nains, de Pygmées nus d'Éthiopie. Si vous aviez été là, vous auriez pensé qu'il s'agissait de réfugiés de l'enfer ».

La princesse conquit le cœur des Londoniens, et celui de More : « Elle possède toutes les qualités qui font la beauté d'une très charmante jeune fille. Dire que tous chantent ses louanges serait encore insuffisant. » Pour une fois, le très économe Henry desserra les cordons de sa bourse. Le mariage fut célébré par dix jours de fêtes consécutives. Il y eut des joutes et des danses, des spectacles et des chants, du tir à l'arc et autres amusements du temps. Toute la ville était invitée à se réjouir du mariage du fils du roi avec une princesse appartenant à une des familles royales les plus anciennes du continent.

Deux princes pour une princesse

Sur Arthur, Henry avait projeté sa tendresse et ses ambitions. Il avait voulu que ce premier fils naquît à Winchester, un des sites présumés du château du roi Arthur et capitale de Camelot, ancrant ainsi les racines Tudor dans le plus vieux terreau anglais – d'où le prénom qui lui avait été donné. C'est en 1485, année de l'accession de Henry au pouvoir, que fut publié le *Morte d'Arthur*, suite de récits à la gloire du roi Arthur et des chevaliers de la Table ronde.

Peu après son baptême, Arthur avait été fait prince de Galles, afin que les Gallois tirent aussi fierté de la dynastie Tudor, et lorsque Henry VII, à contrecœur, partit guerroyer en France, le jeune Arthur, âgé de six ans, fut nommé lieutenant et gouverneur du Royaume, c'est-à-dire Régent. Une position qu'il ne garda que quelques semaines. Henry mena cette petite guerre à peu de frais et en rapporta un traité de paix honorable – et un « tribut » en espèces. Le jeune Arthur reçut naturellement la meilleure éducation donnée à un prince héritier. Son précepteur, le très érudit franciscain Bernard André, écrivit :

Avant qu'il eût atteint sa seizième année, il avait déjà mémorisé, ou lu de ses propres yeux, ou feuilleté de ses propres doigts, en grammaire : Guarinus, Perottus, Pomponius, Sulpice, Aulu Gella et Valla ; en poésie : Homère, Virgile, Lucain, Ovide, Silius, Plaute et Térence ; en art oratoire, les Offices, Lettres et Paradoxes de Cicéron, et Quintillion ; en histoire : Thucydide, Tite-Live, les Commentaires de César, Suétone, Cornelius, Tacite, Pline, Valérien, Maximien, Sullus et Eusèbe.

Malgré son nom qui évoque les chevauchées des infatigables chevaliers de la Table ronde, Arthur était un garçon frêle, miné par la phtisie. Cinq mois après son mariage, il était mort ; et la princesse Catherine se retrouva veuve sur une terre étrangère.

Henry VII voyait d'un coup ses espérances s'écrouler. Que faire de Catherine ? Il fallait préserver l'alliance anglo-espagnole et le roi répugnait à rendre la dot. La jeune femme songeait à se retirer au couvent, ce qui ne convenait évidemment pas au roi Henry. Il envisagea un moment de l'épouser lui-même ; sans doute avait-il pleuré sincèrement et longuement sa mie, mais apparemment sa condition de veuf lui pesait. Il en parla à la reine Isabelle, que cette proposition horrifia. Il décida alors de donner Catherine pour épouse à son autre fils, qui n'était encore qu'un enfant. Les tractations furent de nouveau longues et difficiles. Finalement, les deux partis convinrent du mariage. Le 23 juin 1503, le jeune Henry, nouveau prince héritier, et Catherine furent solennellement fiancés à la résidence de l'évêque de Salisbury, Edmund Audley ; le mariage serait officialisé par une nouvelle cérémonie lorsque le prince aurait atteint ses 15 ans. Il restait toutefois une formalité importante à accomplir : demander une dispense au pape pour permettre cette union interdite par la « loi de Dieu ». Il est en effet écrit dans le Lévitique (Lv 18, 16) : « La nudité de la femme de ton frère, tu ne la découvriras pas : c'est la nudité de ton frère » (l'interdiction est même répétée en Lv 20, 21). Autrement dit, il y avait interdiction pour un homme d'épouser la veuve de son frère. L'Église romaine n'était pas aussi stricte sur le sujet que les législateurs hébreux. Il n'empêche qu'un tel lien entre les conjoints créait selon le droit canonique de l'époque un empêchement dirimant. Mais le pape Jules II étant plus motivé par la politique que par la théologie, il accorda volontiers la dispense, d'autant

qu'on laissait entendre que le mariage n'avait peut-
être pas été consommé.

Seulement Henry, lorsqu'il eut 15 ans, eut
quelques scrupules religieux sur le bien-fondé de
cette union. Il déclara solennellement devant
l'évêque de Winchester, peu avant la célébration du
mariage, « avoir épousé la veuve d'Arthur lorsqu'il
était enfant, mais qu'étant majeur, il rétractait ce
mariage ». Henry VIII fut toujours féru de théologie, on peut donc penser qu'il était sincère ; on peut
penser aussi que les scrupules de Henry avaient un
rapport avec la politique internationale. À cette
époque, l'alliance avec les Aragon ne semblait plus
aussi nécessaire au roi anglais qui cultivait plutôt
l'amitié des Habsbourgs aux Pays-Bas, et le roi pouvait avoir eu d'autres projets matrimoniaux pour son
fils. Une chose est certaine : dans la correspondance
échangée entre l'ambassadeur d'Espagne en Angleterre
et Ferdinand d'Aragon, il est fait allusion aux scrupules qu'avait Henry d'épouser la femme de son
frère. Finalement, Henry VII s'en tint à l'alliance
espagnole, et le jeune Henry, en bon fils obéissant
aux dernières volontés de son père, épousa Catherine
quelques semaines après la mort du roi, survenue le
22 avril 1509. C'est en tout cas ce que Henry VIII
clama plus tard.

La santé de Henry VII s'était lentement détério-
rée, et on ne peut dire qu'il régna véritablement
durant les deux dernières années de sa vie, ne s'occu-
pant plus que de l'essentiel. Il mourut pieusement
en son nouveau manoir de Richmond, dans le
Surrey, recommandant son âme au Seigneur et à la
Vierge Marie, « ainsi qu'à tous les habitants du Ciel

et particulièrement à ses favoris, saint Michel, saint Jean-Baptiste, saint Jean l'Évangéliste, saint George, saint Antoine, saint Édouard, saint Vincent, sainte Anne, sainte Marie-Madeleine et sainte Barbara, pour qu'ils l'assistent à l'heure de la mort et soient ses intermédiaires pour la rémission de ses péchés et le salut de son âme ». Il demanda aussi à ses exécuteurs testamentaires de faire dire dans le mois suivant sa mort 10 000 messes à 6 pennies chacune, « en l'honneur de La Trinité, des Cinq Plaies [du Christ], des Cinq Joies de Notre-Dame, des Neuf Ordres angéliques, des Patriarches, des Douze Apôtres et de tous les saints », et de distribuer 2 000 livres en aumônes. Il pourrait ainsi raccourcir le temps passé au Purgatoire.

Le couronnement de Henry VIII et de Catherine d'Aragon eut lieu le dimanche 24 juin dans une atmosphère de liesse. Le nouveau roi n'avait pas tout à fait dix-huit ans et l'avenir s'annonçait plein de promesses.

2

Le roi chevalier

« Le ciel rit et la terre exulte »

Pour présenter en trois mots les changements que l'accession de Henry VIII provoqua à la cour anglaise, on pourrait utiliser la devise adoptée par Genève lorsqu'elle passa à la Réforme : *Post Tenebra Lux*, « Après les ténèbres la lumière », citation tirée de la traduction latine du livre de Job (17, 12). Henry VII avait apporté à l'Angleterre le calme et la prospérité. Seulement, sous son règne, la cour avait perdu son éclat – et dans les dernières années de sa vie, elle était même devenue lugubre. Elle était, en vérité, sans roi. Terré en son manoir de Richmond, Henry VII ne venait plus que rarement à Londres et ne se montrait plus guère à son peuple. Il était un roi lointain. Sa méfiance naturelle avait tourné au fil des ans à la paranoïa. Il vivait dans la crainte permanente d'un complot. Devenu très dévot, il avait développé les faiblesses du roi français Louis XI, courant après les reliques et les médailles pieuses avec autant de zèle qu'il mettait à découvrir les comploteurs. Ses dévotions avaient pris un tour extravagant. Après avoir reçu le sacrement de la pénitence, on racontait qu'« il pleurait et sanglotait durant trois quarts d'heure, et lorsqu'il communiait, il ôtait son chapeau, s'agenouillait et rampait pour la recevoir… ». Malade, amaigri, le visage émacié et les lèvres serrées dissimulant de rares dents noirâtres, il ressemblait plus à un pèlerin en marche vers le royaume des Cieux qu'à un roi de la Renaissance.

Pour les théoriciens médiévaux, un monarque représentait la puissance de l'autorité royale par la magnificence de sa cour, de ses vêtements, de ses bijoux, de ses chevaux, et des cérémonies qu'il donnait pour célébrer un heureux événement. Le peuple, qui y était convié, s'en réjouissait ; la richesse ainsi exhibée montrait la force et la stabilité du pays. Quant aux nobles, ils s'accordaient à soutenir un roi puissant lorsqu'il satisfaisait leurs ambitions personnelles. Malgré le deuil récent, le couronnement de Henry VIII avait donné lieu à des cérémonies grandioses. Le nouveau roi monta sur le trône porté par une énorme vague de popularité. Sa rentrée dans Londres, après la mort de son père, lui avait déjà gagné les cœurs : il avait fait le chemin à cheval, rayonnant de santé et de force. Après la cérémonie du couronnement, il y avait eu des joutes auxquelles participèrent tous les jeunes seigneurs amis du roi.

Très grand, très beau, Henry avait un teint éclatant, un corps d'athlète et un mollet avantageux qu'il aimait montrer. Il était excellent cavalier, bon chasseur et bon tireur à l'arc. Il pouvait, dans les tournois, affronter les meilleurs. Il était également fort intelligent et érudit. Bien qu'élevé séparément d'Arthur, Henry reçut certainement une éducation similaire. Habile musicien, il jouait du luth et composait à l'occasion des chansons et des ballades. Il possédait des connaissances solides en théologie et avait du goût pour les arts. Il était pieux de façon conventionnelle, s'inclinait devant les images, et se montrait plein de respect pour la papauté.

Tant les observateurs étrangers que ses sujets chantèrent ses louanges en termes dithyrambiques. Thomas More proclama en vers, à l'occasion du couronnement, qu'il était un nouveau messie destiné à « effacer les larmes de nos yeux et à remplacer notre désolation par la joie ». William, lord Mountjoy, compagnon d'études de Henry et mentor de ses jeunes années, salua son accession comme le commencement d'un nouvel âge d'or. « Ô mon Érasme, s'exclame-t-il dans une lettre qu'il écrivit à l'humaniste de Rotterdam pour lui raconter l'événement, si vous pouviez voir combien le monde entier ici se réjouit de posséder un si grand prince, combien sa vie comble ses désirs, vous ne pourriez retenir vos larmes de joie. » Et c'est finalement dans la langue de la prophétie et de la révélation que Mountjoy trouva les qualificatifs qui convenaient pour traduire la joie du monde civilisé :

> Le ciel rit et la terre exulte ; le lait et le miel et le nectar sont partout répandus. L'avarice est chassée du pays, la libéralité répand les richesses d'une main généreuse. Notre roi ne recherche pas l'or, les joyaux, ou les métaux précieux, mais la vertu, la gloire et l'immortalité.

Peut-être faudrait-il modérer ces propos flatteurs. Au début de son règne, le roi songeait plutôt à s'amuser et à dépenser l'argent amassé par son père. À l'œil vigilant de l'ambassadeur de Venise n'échappa ni la somptuosité de ses vêtements, ni la richesse des bagues qui couvraient ses doigts et du diamant qui ornait son cou. À la discrétion du père succéda l'ostentation du fils. Après la parcimonie, l'insolence du luxe. L'ambassadeur vénitien rapporte :

> Il voulait aussi avoir la réputation d'un chevalier romantique. Les danses les plus violentes, les sauts et les pirouettes lui causaient un plaisir enfantin. Quand il montait à cheval devant les dames, il faisait caracoler, parader et ruer sa monture. Ses prouesses de cavalier lui attiraient des avalanches de compliments.

La moitié des sujets de Henry avait moins de dix-huit ans et sa cour reflétait la jeunesse de la population. La culture anglaise était devenue celle des forts et des audacieux qui ne rêvent que d'exploits. Après le roi lointain, le roi très proche, familier, qui organisait des chasses, des mascarades, des joutes, des farces – pas toujours de bon goût. Ainsi, alors que Catherine était enceinte de cinq mois et souffrante, il fit irruption un matin dans sa chambre avec une douzaine de joyeux compagnons, déguisés en Robin des bois et sa bande, qui se mirent à danser et à folâtrer. La reine n'apprécia guère.

Henry avait vécu ses années d'enfance auprès de ses sœurs et ses années d'adolescence auprès de son père qui voulait que, par l'exemple, il apprît son métier de roi. Son premier acte politique fut de prendre des mesures contraires à ce qu'avait voulu son père. L'envoyé spécial du roi d'Aragon, Gutierre Gomez de Fuensalida, rapporta que « Henry VIII avait été à la Tour, qu'il avait déclaré un pardon général, fait libérer beaucoup de prisonniers et arrêter tous ceux qui, sous le règne de son père, s'étaient rendus coupables de corruption et de tyrannie ». Il fit ainsi arrêter Edmond Dudley et Richard Empson, deux représentants de l'administration du roi défunt qui, sur son ordre, avaient fait régner la « terreur fiscale ». Leur arrestation ne pouvait qu'être bénéfique au nouveau règne. Afin de protéger la réputation de Henry VII, ils furent jugés pour « trahison » et exécutés sans preuve. Mais le but, en se débarrassant de ces deux encombrants personnages, haïs de tous, était de renforcer la popularité du nouveau roi. Autre geste marquant le changement : Henry fit revenir de Calais Thomas Grey, deuxième marquis de Dorset, un York que Henry VII, par crainte d'un complot, avait fait enfermer au château où il attendait son exécution. Henry VIII ne partagea jamais la suspicion dans laquelle son père tenait plus ou moins tous les York et il voulut montrer très vite qu'il était lui aussi, par sa mère, un York. Aussi bien, Thomas More, chantre du nouveau règne, s'empressat-il dans un de ses poèmes de montrer que Henry VIII avait hérité du meilleur des deux maisons.

À l'exception de Dudley et d'Empson, jetés en pâture aux loups, Henry VIII conserva les principaux conseillers de son père, dont le chancelier William Warham, archevêque de Canterbury, et Richard Foxe, évêque de Winchester, gardien du Sceau privé. Il paraît évident qu'en ce début de règne, le roi s'occupait moins des affaires du royaume que de ses plaisirs. L'ambassadeur d'Espagne s'inquiétait même de son « indolence ». Mais si tout était calme en Angleterre, sur le continent, en revanche, le cliquetis des armes se faisait entendre : les guerres d'Italie venaient de se rallumer.

Une jolie petite guerre

Le roi Henry décida de porter secours au pape, attaqué par les Français, en rejoignant l'union que Jules II avait formée en octobre 1511 avec les Suisses, les Espagnols et les Vénitiens, qu'il avait retournés contre la France. La France était l'ennemi traditionnel de l'Angleterre, et les rois anglais successifs avaient toujours jalousé sa grandeur. Henry n'avait encore jamais fait la guerre, mais guerroyer faisait partie de l'éducation d'un seigneur, comme la chasse et les joutes. Le pacifisme de Henry VII avait fait son temps. Peu de voix, même parmi ses anciens conseillers, s'élevèrent contre la politique belliqueuse du nouveau roi. Et comment résister ? Poussé, n'en doutons pas, par sa femme et son beau-père, Henry VIII voulait la guerre, le pape l'y appelait et le pays y était dans l'ensemble favorable. Le Trésor, en outre, était plein. Convoqué en février 1512, le Parlement écouta les discours de propagande contre la France et contre l'Écosse, car il fallait prendre en compte la réaction des Écossais. Nul ne doutait qu'ils s'empresseraient de porter secours à leur vieille alliée en lançant des attaques sur le territoire anglais. Le Parlement approuva l'envoi de troupes sur le continent sans difficulté.

La guerre fut assez confuse et les forces anglaises dans un premier temps, plutôt malmenées. Même la marine anglaise connut l'échec à Brest, en avril 1513. Mal secondé par les Espagnols, Henry VIII eut le sentiment amer d'avoir été dupé par son beau-père. Néanmoins, plus déterminé que jamais, il débarqua à Calais avec une armée de 30 000 hommes et mit le siège devant Thérouanne. Une force française venue au secours de la ville fut vaincue au mois d'août à la bataille des Éperons. C'était la première fois qu'un roi d'Angleterre s'emparait d'une place française depuis la fin de la guerre de Cent Ans. Les Anglais firent de nombreux prisonniers dont le célèbre chevalier Bayard. Henry VIII le rencontra au cours d'une entrevue à laquelle assistait aussi l'empereur Maximilien. Si l'on en croit un chroniqueur du temps, le vieux Bayard aurait dit à Henry :

> Sire, je suis vraiment prisonnier volontaire, car ils ne m'ont pas pris prisonnier, mais libéralement me suis donné à eux, car j'avais grand désir de voir la majesté impériale et aussi la vôtre, laquelle je vois à présent, et je n'ai voulu fuir comme les autres, car oncques ne fut à école pour apprendre à fuir.

Des nouvelles venues d'Angleterre mirent un terme à ces « mondanités d'après-bataille », comme dit l'historien Bernard Cottret, et forcèrent le roi à rentrer au plus vite dans son royaume : les Écossais, en grand nombre, avaient traversé la frontière ! Si James IV comptait sur un effet de surprise, il s'était trompé. Les Anglais avaient anticipé le mouvement et massé des forces importantes à la frontière. Thomas Howard, qui les commandait, lança un défi au roi James, qui fut accepté. Les combats furent rudes. Howard remporta à Flodden Edge une bataille qui coûta cher à l'Écosse. Parmi les quelque 10 000 tués figuraient le roi James et de nombreux seigneurs. L'accession au trône d'un enfant, James V, dont la mère et régente était la propre sœur de Henry VIII, Margaret, éloigna pour de nombreuses années le danger écossais.

La guerre était sur le point de prendre fin. Jules II était mort et son successeur, Léon X, voulait la paix. Ferdinand et l'empereur Maximilien entamèrent des pourparlers dans le dos du roi d'Angleterre. Ferdinand continuait à pratiquer le double jeu, nouant une alliance pour aussitôt reprendre sa parole. Mais Henry, dès le début de l'année 1514, avait lui-même ouvert des négociations avec la France. Le traité de juillet 1514 fut bénéfique à l'Angleterre qui y gagna Tournai et reçut la promesse de la France de lui verser un million d'écus d'or en dix ans. L'une des clauses du traité de paix était le mariage de la jeune sœur de Henry, Mary, avec le vieux roi Louis XII.

Henry fut salué par toute l'Angleterre comme un nouvel Henry V, le vainqueur d'Azincourt, soldat heureux et homme d'État exceptionnel. Il avait montré en tout cas qu'il était capable, malgré son jeune âge, de se mouvoir dans les méandres de la diplomatie minée des affaires européennes. Il avait appris à se garder des manœuvres tortueuses de ses alliés, à esquiver, et aussi à porter des attaques quand on l'attendait le moins.

Une question se pose : quelles véritables raisons poussèrent le jeune roi dans cette aventure ? Que voulait-il vraiment ? Récupérer la Guyenne ? Se faire le défenseur de la chrétienté ? Ou bien recherchait-il seulement la gloire ? L'avis des historiens diverge. Je fais mienne l'analyse de Bernard Cottret sur l'état d'esprit du roi d'Angleterre. Commentant la rencontre entre Maximilien, Henry VIII et Bayard, il écrit qu'en dépit de la différence des rangs, une complicité s'était fait jour, chacun à sa façon prétendant être chevalier :

Henry VIII, prince renaissant, trouva dans la chevalerie les éléments d'un culte royal dont la guerre ou le tournoi constituaient l'affirmation visible.

Pour un roi aussi jeune que l'était Henry VIII, plein de sève et nourri de la légende arthurienne et des hauts faits de Henry V, il fallait sans doute une guerre bien menée et une rencontre avec le dernier des chevaliers pour qu'il se sentît l'égal des glorieux ancêtres et des maîtres actuels de l'Europe.

Entre Thomas Wolsey

Peu porté sur les affaires administratives, Henry sut s'entourer d'hommes remarquables qui marquèrent de leur empreinte les évolutions politiques de l'Angleterre au cours de son règne. Ils s'appelaient Thomas Wolsey, Thomas Cromwell, Thomas More, Thomas Cranmer. Le premier portait la pourpre.

Wolsey, ou Wulcy, comme son nom était naguère écrit, naquit aux environs de 1475 à Ipswich, où son père exerçait les professions de boucher, aubergiste et maquignon. La carrière ecclésiastique était alors la seule ouverte à un jeune garçon intelligent venu d'un milieu simple et peu fortuné. Il étudia à Oxford et gravit rapidement les échelons. Ordonné prêtre en 1497, il devint master de Magdalen School et doyen en théologie. Mais il renonça à ses fonctions en 1502. On le retrouve ensuite chapelain de Henry VII. Après la mort du roi, Henry VIII lui confia quelques missions diplomatiques. Richard

Foxe le prit sous sa protection et chanta ses louanges si bien que Wolsey reçut l'attention du roi. Peu à peu, par intelligence et perspicacité, il obtint la confiance de Henry VIII qui le fit entrer au conseil privé. Doyen de Lincoln en 1509, évêque de Tournai en 1513, archevêque de Lincoln en 1514 et archevêque d'York la même année. En 1515, il obtenait le chapeau de cardinal de Léon X puis recevait le titre de légat du pape. Il aimait les honneurs, le luxe et la pompe, mangeait et buvait sans retenue ; son arrogance lui attira l'antipathie de la *gentry* et le mépris de la haute noblesse. Wolsey était un parvenu mais le roi avait confiance en ses capacités pour régler les affaires du royaume.

Depuis 1515, Wolsey avait accédé à la chancellerie. Il ne fit pas la politique anglaise, mais joua un rôle important dans les décisions du roi, du fait de la confiance que celui-ci lui accordait. La politique que Wolsey voulait mettre en place était un rapprochement avec la papauté, toujours en désamour avec les Français gallicans, autant pour le bien du royaume que par ambition et rapacité. Il fut un personnage éminent du royaume : en tant que chancelier, il gouvernait l'État ; en tant que cardinal et légat du pape, il dirigeait les affaires religieuses.

Sur l'échiquier européen, de grands changements s'étaient opérés dont l'Angleterre espérait tirer parti. Les barbons étaient morts. Louis XII avait trop goûté à la tendre chair de Mary Tudor et en était mort. Il ne laissa pas d'héritier et le trône de France alla à un Valois, François. Comme Henry VIII, François Ier était jeune, ambitieux et valeureux soldat. Henry ressentit tout de suite pour lui de l'antipathie. La politique passant avant la tendresse familiale, Henry VIII, soucieux de maintenir le traité de paix avec la France, voulut lui faire épouser la jeune veuve, sa sœur Mary. Seulement Mary était amoureuse depuis longtemps d'un compagnon de Henry, le jeune et fringant Charles Brandon, duc de Suffolk, et, à peine veuve, avait contracté avec lui un mariage secret. Ils s'aimèrent avec passion. Brandon confia à Wolsey : « Je vous avouerai tout net que je l'ai épousée avec joie, et que je me suis allongée avec elle, et ai fait en sorte qu'elle attende un enfant. » Le mariage ne pouvait plus rester secret. En apprenant la nouvelle, Henry laissa échapper sa fureur. Wolsey se vanta toujours d'avoir réussi à calmer le roi, et cette romantique affaire se termina par une compensation financière subséquente. Henry, qui aimait tendrement sa sœur, lui accorda finalement son pardon et le couple put revenir à la cour. Mary et Charles se marièrent une seconde fois, publiquement, le 13 mai 1515.

Un an après Louis XII, Ferdinand d'Aragon mourait à son tour et son petit-fils, Charles de Habsbourg, monta sur le trône d'Espagne, à l'âge de 15 ans. Né et élevé aux Pays-Bas, il ne parlait pas la langue espagnole, mais il brûlait déjà de jouer les premiers rôles. Dorénavant, le sort de l'Europe se joua entre ces trois jeunes hommes à la forte personnalité : Henry VIII, François Ier et Charles V.

François Ier, cependant, avait envahi l'Italie une nouvelle fois ; il mit les Suisses en déroute à Marignan le 13 septembre 1515, et reprit le contrôle du Milanais. Son éclatante victoire mit Henry en fureur. Lorsqu'il apprit la nouvelle, raconte un témoin, il avait « les yeux rouges de la peine qu'il souffrait ». Henry était d'autant plus furieux que tous les yeux admiratifs de l'Europe étaient maintenant braqués sur son rival. Partout, on chantait : « Victoire au noble roy François ! » Sa propre victoire à Thérouanne était bien maigre en comparaison de la conquête du Milanais. La politique primant sur les sentiments, il envoya toutefois à François Ier ses félicitations.

Léon X voulait la paix pour pouvoir lancer sa croisade contre le Turc. Il négocia le *Concordat* de 1516 avec la France. Les Suisses signèrent la *Paix Perpétuelle* à Fribourg, traité stipulant l'abstention des cantons aux conflits européens. En 1517, à l'instigation de Wolsey, une ligue anti-française était scellée à Londres par Charles V, Henry VIII et Maximilien Ier. À cette occasion, le vieil empereur aurait dit à Charles : « Mon fils, vous allez tromper les Français ; et moi, je vais tromper les Anglais. » Cette alliance, au sein de laquelle Henry VIII se voyait déjà jouer le rôle d'arbitre, emplit de joie le peuple anglais. L'événement fut fêté par des messes et des tournois. Couvert de joyaux, le roi apparut déguisé en Hongrois, puis en Turc. Mais comme il fallait s'y attendre, Charles V et Maximilien Ier firent volte-face et signèrent à Cambrai, le 11 mars, un nouveau traité de paix avec François Ier. Dans l'affaire, l'Angleterre ne pesa pas lourd. On peut même dire qu'elle fut traitée avec désinvolture. On renouvela les ententes traditionnelles avec l'Écosse tout en versant au roi d'Angleterre sa pension. François Ier, Charles V et Maximilien Ier se garantirent réciproquement leurs possessions, se promirent assistance, et s'engagèrent, avec la bénédiction du pape, à lever une armée pour mener la croisade contre les Turcs. Il avait été convenu que François Ier garderait le Milanais et abandonnerait au roi d'Espagne le royaume de Naples. L'Europe était en paix.

Mais les nuages s'amoncelaient au-dessus de Rome et bientôt l'orage éclata. Partie de Saxe, la vague luthérienne déferla dans les royaumes du Nord, pénétra en Écosse, en Angleterre, en France, et, frappant durement la papauté, ébranla les fondements du christianisme romain.

3

Une Église en mal de réformes

Le moine qui fit trembler Rome

Tandis qu'aux portes de la Saxe le dominicain Tetzel promettait la rémission des péchés et la rémission plénière pour les âmes du Purgatoire à ceux qui verseraient des offrandes dans la caisse des indulgences, à Wittenberg, le moine augustin Martin Luther, docteur en théologie, affichait sur la porte de l'église, le 31 octobre 1517 selon la tradition, 95 thèses en latin qu'il se proposait de défendre dans un débat public contre quiconque se présenterait pour les réfuter. Ainsi commença la Réforme.

Que disent les thèses ? Que les indulgences ne servent à rien, mais, bien au contraire, indignent le Seigneur ; que seule la croix du Christ sauve ; que le véritable trésor de l'Église est le « très saint Évangile de la gloire et de la grâce de Dieu » et qu'il est préférable pour un chrétien d'entrer au ciel par « beaucoup de tribulations » plutôt que de se reposer sur la sécurité d'une fausse paix. La contre-attaque de Rome fut rapide, violente et disproportionnée par rapport au contenu des thèses. Léon X était plus porté sur les belles lettres que sur la théologie. Mais il prit conscience de la menace qui pesait sur son pouvoir et sur ses finances. Car le fait est que la Papauté avait besoin d'argent pour la construction de la basilique Saint-Pierre et que la campagne menée par Tetzel avait pour objectif de renflouer les caisses du Vatican. Léon X excommunia donc Luther.

Parce qu'elles répondaient à la préoccupation des chrétiens, les idées luthériennes se répandirent rapidement dans toute l'Allemagne, puis franchirent les frontières. En France, en Angleterre, aux Pays-Bas, on s'intéressa à Luther, et pas seulement pour ses démêlés avec Rome. L'année 1520 fut celle de ses grands traités réformateurs, rapidement lus et commentés au-delà de la Saxe. La théologie de la grâce seule, de la foi seule, de l'Écriture seule, qui devint le fondement du protestantisme, fut accueillie comme l'annonce d'une libération par tous ceux qui voulaient réformer l'Église en profondeur.

On ne peut comprendre l'accueil réservé aux écrits luthériens sans prendre en compte la crise spirituelle et morale que traversait la chrétienté. À l'aube du XVIᵉ siècle, l'Église était en pleine décadence. La corruption, la simonie, la cupidité avaient atteint plus ou moins tous ses membres. Toute charge étant source de revenus et d'influence, le système avait entraîné des abus criants. Les prélats vivaient dans le faste et le bas clergé dans une pauvreté morale et intellectuelle affligeante, sans compter que de haut en bas de l'échelle sociale, les gens étaient devenus esclaves des superstitions. En

Angleterre comme dans le reste de l'Europe chrétienne, la pensée religieuse s'était cristallisée en images ; la dévotion avait pris la forme du culte des saints et plus encore du culte marial. La vénération des reliques, très répandue, traduisait cette conception matérialiste du christianisme. Dans les campagnes, on confondait volontiers le mystérieux et le merveilleux ; la soif de miracles et de « signes » l'emportait sur le rationnel. Dans les recoins du terroir anglais, les puits, les arbres et les pierres magiques faisaient partie de l'environnement du petit peuple, d'autant que les fêtes païennes avaient été incorporées dans le calendrier chrétien.

La peur du péché, de la mort, du Jugement, de l'enfer avait profondément pénétré les esprits. Le chrétien avait mauvaise conscience et l'angoisse saisissait les mourants. D'où l'appel, de plus en plus vigoureux, à la Vierge et aux saints ; d'où l'importance croissante accordée aux reliques, aux médailles, aux processions, aux pèlerinages ; d'où la demande croissante pour des messes dont des prêtres peu scrupuleux faisaient un commerce. Thomas More, dans sa *Supplication des âmes*, se fait l'interprète d'un mort qui réclame de la part des vivants plus de prières et de messes et raconte l'intolérable tourment du purgatoire : « Le feu, dit l'âme du mort, dépasse en chaleur tous les feux qui ont jamais brûlé sur la terre. » Et cela pendant des jours, des semaines, des années… Censé à l'origine consoler les chrétiens, le purgatoire était devenu un enfer bis. Henry VII, on l'a vu, fut, à la fin de sa vie, l'un de ces dévots obsédés par son salut. Henry VIII, sans partager les obsessions de son père, avait lui aussi une pratique de la religion très médiévale, faite de messes journalières, de prières à la Vierge et de pèlerinages. Ainsi celui de Sainte-Mary de Walsingham, dans le Norfolk, où il se rendait pieusement chaque année – jusqu'au jour où il entraîna son royaume sur le sentier de la guerre contre Rome. Il fit alors détruire le sanctuaire.

En Angleterre, une voix s'était élevée, par le passé, pour contester le contenu dogmatique du christianisme romain et appeler à une réforme de l'Église : John Wycliff, prophète d'un nouvel âge, affirmait en 1378 que l'Écriture, Parole de Dieu attestée par l'Esprit saint, était indépendante du magistère de l'Église-institution ; et, parce qu'il estimait que l'Écriture était suffisamment claire pour n'avoir pas besoin des commentaires, il s'en prit à l'autorité des Pères de l'Église, proclamant que ce n'était pas eux, par leurs commentaires, qui permettaient de comprendre les textes bibliques, mais que c'était à l'inverse la Bible qui « jugeait les Pères ». De même, il affirma que ce n'était pas l'Église, par ses décrétales, qui avait fixé le sens de l'Écriture, mais la Bible qui donnait son autorité à l'Église. Entre l'homme et l'Écriture, nul besoin de l'Église ; entre Dieu et l'homme, seule était nécessaire la Parole divine. L'intervention d'une Église hiérarchique n'était pas nécessaire à l'élu pour être sauvé.

Wycliff prôna l'idéal évangélique et le retour à l'Église primitive. Les dernières années de sa vie, il s'en prit à la doctrine traditionnelle de l'eucharistie, ce qui lui valut de sérieux ennuis, tant avec ses pairs d'Oxford qu'avec le roi. Cette contestation de la messe, plus encore que la prépondérance qu'il donna à l'autorité de l'Écriture, permet de qualifier Wycliff de « préréformateur ». Il fut condamné au silence par sa hiérarchie – et toute traduction ou lecture de la Bible en langue vernaculaire non autorisée fut interdite. Mais Wycliff avait des adeptes : les Lollards, un mouvement socioreligieux qui attira dans ses rangs des universitaires, des artisans, des marchands et même quelques chevaliers de l'entourage de Richard II. Considérés comme hérétiques et révolutionnaires, un certain nombre d'entre eux furent envoyés au bûcher sous Henry V. C'est même à l'intention des Lollards que le châtiment du bûcher pour hérésie fut proclamé en Angleterre. Les rescapés cherchèrent à se faire oublier. Il n'empêche que divers manuscrits de la « Bible des Lollards » – des traductions partielles et imparfaites des textes hébreux et grecs – continuèrent à circuler parmi les classes moyennes, et même parmi le menu peuple. Il n'est pas surprenant que les vieux terroirs lollards des régions de Bristol et de Coventry furent les premiers touchés par les idées réformées venues du continent.

Henry, « Défenseur de la foi »

La pénétration en Angleterre des écrits de Luther permit à Henry VIII de s'insérer dans les bonnes grâces de Léon X. Suite à la parution de l'ouvrage de frère Martin, *De Captivitate Babylonica* (*De la captivité babylonienne*), il prit la plume pour défendre, dans un long texte en latin, les sept sacrements contre Luther qui n'en retenait que trois : le baptême, l'eucharistie et le sacrement de pénitence. Dans sa préface dédicatoire à Léon X, Henry montrait son désir d'étouffer l'« hérésie fatale qui va pullulant dans le champ de l'Église ». Avait-il reçu l'aide de Thomas More pour rédiger son traité ? Ou ses connaissances théologiques et bibliques étaient-elles suffisantes ? L'ambassadeur vénitien Falieri vanta son érudition : « Il connaît la littérature, la philosophie et la théologie, parle et écrit en espagnol, en français et en italien, en plus du latin et de l'anglais. » Fort bien. De l'avis général des spécialistes, au vu de la faiblesse de ses arguments, il en est probablement le seul auteur. En tout cas, l'ouvrage reçut un très bon accueil dans la chrétienté ; il connut vingt éditions et traductions au cours du XVIe siècle ; Léon X fut si charmé par le zèle du roi d'Angleterre qu'il lui discerna le titre de « Défenseur de la foi » et accorda une indulgence à ceux qui liraient son ouvrage. Ce qui est amusant, pour celui qui connaît la suite de l'histoire, c'est de voir avec quelle ardeur il condamne les schismes et défend le sacrement du mariage comme la primauté du pape.

Henry VIII fut un homme de contradictions. On ne peut douter de la sincérité de son indignation, même si le geste, dicté peut-être par Wolsey, était politique. Fut-il aussi sincère lorsque, vingt ans plus tard, il voulut écrire un autre traité théologique, cette fois contre le purgatoire ? Quand on connaît l'importance que le purgatoire avait eue dans l'Europe du Nord, l'idée est audacieuse. Tout laisse à penser qu'il était une fois encore sincère. Il en était venu progressivement à l'idée que si les morts avaient besoin qu'on dise des messes pour eux, ce n'était pas pour les délivrer de la peine du purgatoire mais par charité puisque les morts, comme les vivants, font partie du corps du Christ. Il changea aussi d'avis concernant la confession privée : elle n'avait pas été instituée par Dieu. Henry VIII ne devint par pour autant un « bon » protestant, mais il réussit à mettre en place un certain nombre de réformes que beaucoup de ses sujets souhaitaient – à commencer par ceux portés par le courant humaniste.

À la suite d'Érasme et Thomas More, John Colet – doyen de Saint-Paul – et John Fisher – évêque de Rochester – redécouvrirent l'Antiquité et renouèrent avec les textes anciens en étudiant les Écritures dans leurs versions originales. Ils aspiraient à une religion plus conforme au message évangélique. « L'existence du chrétien ne doit pas être une suite de pratiques vaines, mais une méditation continuelle de l'Écriture », disait Érasme. Grâce à John Fisher, son chancelier, Cambridge se trouva à l'avant-garde de ce courant réformateur et, dès 1520, des étudiants se réunissaient régulièrement à la *White Horse Tavern*, vite surnommée la « Petite Allemagne », pour discuter des thèses de Luther. La fièvre réformatrice toucha ensuite Oxford. Quant aux classes marchandes, notamment à Londres, elles supportaient de plus en plus difficilement la vassalité imposée à l'Angleterre par la papauté depuis le règne de Jean sans Terre, dernier fils de Henry II et d'Aliénor d'Aquitaine ; en outre, elles montraient une hostilité grandissante envers la fiscalité papale, jugée excessive, et l'immunité du clergé. Bien que non directement liée aux idées luthériennes, l'affaire Hunne, qui éclata au cours des années 1510, marque un tournant dans le désamour entre les Anglais et la papauté ; elle contribua à développer un anticléricalisme – peut-être latent – qui, par la suite, facilita la rupture avec Rome.

En 1511, un riche marchand tailleur londonien jouissant d'une excellente réputation, Richard Hunne, refusa à la mort de son jeune fils de s'acquitter du prix du linceul que réclamait le prêtre en paiement de l'inhumation. Condamné l'année suivante par un tribunal ecclésiastique, il se pourvut en appel devant un tribunal laïc, le Banc du roi (*King's Bench*), en invoquant le décret de *Praemunire*, qui donnait la prééminence à une cour de justice anglaise sur une cour étrangère et assimilait même à une trahison le fait, pour un Anglais, de se pourvoir auprès d'un tribunal étranger ou d'accepter son autorité. Parce qu'on trouva chez Hunne une Bible en anglais, on cria à l'hérésie. Arrêté, il fut jeté dans la « tour des Lollards » réservée aux « hérétiques », puis interrogé le 2 décembre 1514 par l'évêque de Londres en personne, Richard Fitzjames – lequel était considéré par Érasme comme un « réactionnaire superstitieux ». Le lendemain, on retrouvait Hunne pendu dans sa cellule. On prétendit alors qu'il s'était suicidé. Son corps fut brûlé solennellement et ses cendres dispersées. L'affaire remonta jusqu'au Parlement et même jusqu'au roi. Une enquête minutieuse révéla qu'il avait eu la nuque brisée sur ordre du chancelier de l'évêque. En février 1515, un jury l'acquitta *post mortem* de l'accusation de suicide, mais l'affaire Hunne devint une cause célèbre.

L'alliance entre marchands et érudits favorisa indubitablement l'accès des Écritures aux laïcs et, partant, la circulation des idées réformées. Il fallait en effet des érudits pour traduire les Écritures en langue anglaise, ainsi que des marchands pour les transporter et les introduire dans le Royaume, car les premières traductions venaient d'Anvers. Un certain nombre de marchands se firent colporteurs au péril de leur vie, et trouvèrent des acheteurs au sein d'une classe moyenne qui savait lire et qui aspirait à une réforme de l'Église. Chaque traduction en langue vernaculaire de la Bible constitua une pierre qui servit à édifier la culture religieuse anglaise.

Les Anglais et la Bible

Le premier architecte de cet édifice fut William Tyndale, un théologien d'Oxford. Dès 1523, il prit la résolution, si Dieu lui prêtait vie, d'apporter les Écritures « jusqu'aux femmes, aux garçons de charrue et aux tisseurs ». Lorsque Cuthbert Tunstall, alors évêque de Londres, lui refusa l'autorisation de réaliser une traduction anglaise du Nouveau Testament et de la publier, il partit pour le continent grâce à l'aide financière d'un marchand drapier londonien. Il se rendit d'abord à Wittenberg – où il s'inscrivit à l'université sous un nom fictif – puis à Hambourg, Cologne et Anvers, où il se fixa. Ce ne fut pas une fuite pour cause de « luthéranisme », mais le mouvement réfléchi d'un érudit pieux, résolu à mener à bien le projet qu'il portait en lui depuis quelque temps déjà : mettre la Bible à la portée de tous. Il avait conscience des bienfaits que l'élargissement de la discussion théologique au « menu peuple » pouvait apporter. Mais Henry VIII ne l'entendait pas ainsi, non plus que Thomas More, avec lequel Tyndale fut en totale opposition : alors que pour ce dernier, la volonté de l'Église d'interdire une traduction de la Bible en langue vernaculaire était plus ou moins une hérésie, pour Thomas More c'était une « hérésie pestilentielle » de supposer qu'il ne fallait croire qu'en l'Écriture seule. Que la primauté appartînt à l'Écriture et non à l'institution cléricale apparaissait à More comme une subversion du christianisme.

Les premiers exemplaires du Nouveau Testament de Tyndale arrivèrent à Londres à partir de 1526. Bien que Tunstall fît brûler tous ceux qu'il pouvait rassembler, des exemplaires continuèrent à circuler, et il en arriva d'autres. La première édition du Nouveau Testament de Tyndale fut vendue à 3 000 exemplaires. Cinq ans plus tard, parvenaient en Angleterre les premiers livres de l'Ancien Testament traduits en anglais. Tyndale fut traité de « luthérien », mais il y a fort à parier que, sur le continent, il fut en contact avec d'autres réformateurs. Les écrits de Zwingli et d'Oecolampade circulèrent très vite en Angleterre. Néanmoins, ses prises de position dans les domaines théologique, ecclésial et éthique faisaient de Tyndale un dangereux hérétique puisqu'il prônait l'épuration de l'Église, de ses prélats et de ses pratiques. Arrêté à la suite d'une dénonciation d'un soi-disant ami, il fut étranglé et brûlé à Anvers en 1536, Thomas Cromwell ayant en vain essayé de le faire libérer.

Par la suite, sous la pression de Cromwell, Henry VIII autorisa la publication de deux versions de la Bible. Disponible à partir de 1533, la *Matthew Bible* – connue sous le nom de « Grande Bible » en raison de son format – devait être, par ordonnance royale, distribuée dans chaque église paroissiale. Mais il est clair que Henry VIII ne voulut jamais qu'une Bible en langue anglaise fût mise entre toutes les mains. Aussi, devant la prolifération des exemplaires circulant dans le pays, décida-t-il, en 1543, par un Acte du Parlement, d'abolir la diversité d'opinions et d'interdire la lecture de la Bible aux ouvriers, aux cultivateurs, aux domestiques et aux artisans, ainsi qu'aux femmes, excepté les nobles dames et les dames de qualité. Toute discussion théologique publique fut également interdite. Il n'empêche que, lentement, progressivement, la souveraineté de l'Écriture comme source unique de sagesse divine allait être appliquée en Angleterre à tous les sujets et à toutes les situations. La lecture et l'écoute de la Bible créèrent ainsi une nouvelle culture : en quelques décennies, les mots et les thèmes des deux Testaments devinrent familiers à tous. Un aspect particulier de la diffusion de la Bible en anglais fut qu'elle donna aux laïcs une assurance qui leur avait auparavant manqué, et fortifia pour longtemps leur sentiment de méfiance à l'égard de l'Église et de son clergé.

Mettre la Bible entre toutes les mains posait évidemment le problème de l'autorité ecclésiastique, voire de l'autorité tout court. On peut comprendre les inquiétudes des hommes d'Église attachés à leurs prérogatives ; ou, encore, celles d'un Thomas More, pour qui la tradition avait autant d'importance, sinon plus, que l'Écriture. Si Renaissance et Réforme cheminèrent côté à côte pendant un temps, les objectifs n'étaient pas vraiment les mêmes de part et d'autre : les uns voulaient seulement débarrasser l'Écriture de ses gloses et mettre un terme aux abus de l'Église romaine ; les autres espéraient restituer le christianisme dans sa pureté originelle et trouver le salut hors de la médiation de l'Église. Melanchthon, le disciple de Luther, en était pleinement conscient puisqu'il écrivit :

> Que demandons-nous à la théologie ? Deux choses. Des consolations contre la mort et contre le Jugement dernier. Luther nous les apporte. Un enseignement de morale et de civilité : c'est l'affaire d'Érasme.

L'île de l'Utopie

Malgré leur désir sincère de réformer l'Église, les humanistes anglais, pas plus que les humanistes français, ne rejoignirent la Réforme. Thomas More même, lorsqu'il succéda à Wolsey à la Chancellerie, pourchassa durement les « hérétiques », et en fit arrêter un bon nombre qui périrent au bûcher. Tout hérétique, à ses yeux, méritait d'ailleurs le bûcher. Ainsi moururent dans les flammes John Fryth – pour avoir partagé les vues de William Tyndale –, Robert Barnes – prieur du couvent des augustins, colporteur d'exemplaires du Nouveau Testament en anglais, ancien membre du cercle de la *White Horse Tavern* – et d'autres encore. On aimerait ne voir en Thomas More que l'ami intime d'Érasme, l'homme de loi érudit, l'auteur de l'*Utopie*, où il décrit un imaginaire *Commonwealth*, situé sur une île, qui est à la fois, comme l'indique son nom, un « non-lieu » et un lieu de bonheur, et dont le prince porte le nom d'Adème (le prince sans peuple). Mais More fut aussi un homme politique intolérant, pourfendeur des « mal-sentans » de la foi, comme on disait alors.

C'était en vérité un personnage complexe, ambigu. Tout jeune, il hésita entre le barreau et le couvent. Plus tard, il essaya de concilier le piétisme biblique érasmien avec une opposition farouche à toute forme d'hérésie, luthérienne ou pas. Après avoir reconnu les abus de l'Église et appelé à une réforme, il nia ces abus lorsque les « luthériens » les dénoncèrent. Il voulut servir son roi tout en souhaitant rester fidèle à Rome. Il prêta serment à l'Acte du Parlement reconnaissant le roi pour chef suprême de l'Église, mais il refusa de prêter serment à l'Acte de succession parce que, dans le préambule, l'autorité du roi en matière religieuse, et non celle du pape, y était affirmée. Il expliqua qu'il ne pouvait prêter serment « sans hasarder [s]on âme à la damnation perpétuelle ». À l'évêque humaniste John Fisher, la rupture avec Rome sembla aussi un sacrilège ; mais, contrairement à More, il le cria haut et fort et jamais ne louvoya entre le service du roi et le service de l'Église romaine.

Érasme écrivit à propos de Thomas More :

Dans les affaires humaines, il n'y avait rien dont il ne prit plaisir, même dans les choses les plus sérieuses. S'il converse avec les érudits et les sages, il se réjouit de leur talent ; si c'est avec des ignorants et des idiots, il se réjouit de leur stupidité. Il n'est pas même offensé par les bouffons professionnels. Avec une grande habileté, il s'accommode de toute chose. En règle générale, lorsqu'il parle à une femme, même avec la sienne, il plaisante et badine.

Derrière ce portrait, assurément, on discerne plus l'auteur de l'*Utopie* que le chancelier du roi.

4

Entre guerre et paix

Henry, Charles et François

L'Europe était en paix et le pape tout à sa croisade contre les Turcs. Mais, bien qu'y adhérant, les princes chrétiens ne se pressaient pas de mettre le projet de Léon X à exécution. Ils avaient du moins signé à Londres en octobre 1518, dans un apparent enthousiasme, un traité qui posait les fondements d'une « République chrétienne » dirigée contre le Turc. Thomas Wolsey y avait beaucoup contribué. Maître d'œuvre jouissant de sa réussite, il organisa des fêtes splendides. Londres devint pour quelques jours la capitale de l'Europe chrétienne. Après la messe, il y eut un fabuleux festin suivi d'amusements divers. Le roi et sa sœur dansèrent, portant des masques. Les jours suivants, on passa à des choses plus sérieuses. On fiança la petite Mary, seul enfant viable que Henry VIII avait eu de Catherine, au dauphin François. Mary n'avait pas encore trois ans et le fils de François Ier quelques mois seulement.

La mort de Maximilien Ier raviva les querelles en laissant l'empire vacant. Le choix des électeurs était libre et les prétendants nombreux. La lutte entre François Ier et Charles était inévitable. Querelles secondaires d'abord ; conflits ouverts ensuite. De part et d'autre, on chercha des alliés, de sorte que l'Angleterre, les princes allemands, les États italiens, les cantons suisses, les Turcs et le roi de Suède prirent part aux conflits. Sur le plan diplomatique, la lutte pour la couronne impériale allait permettre à Henry VIII, bien épaulé par Thomas Wolsey, de jouer le rôle d'arbitre dont il rêvait. François Ier et Charles se disputèrent son alliance. Pendant un temps, Henry s'était porté également candidat à l'élection à l'Empire, mais il avait vite abandonné : les enchères étaient trop élevées. La lutte, commencée avant même la mort du vieil empereur, fut âpre et coûteuse car les Électeurs vendirent chers leur soutien. Trois Électeurs vendirent successivement leur voix à chacun des candidats. Ils tranchèrent finalement en faveur du Habsbourg et le jeune Charles, dorénavant appelé Charles Quint, fut élu empereur du Saint Empire germanique et roi de Rome, à l'unanimité des sept voix du collège électoral. Il lui en avait coûté 850 000 florins. Âgé de seulement dix-neuf ans, Charles Quint devint le prince le plus puissant d'Europe. On disait plaisamment dans son entourage que « le soleil ne se couchait jamais sur les terres du roi d'Espagne ».

Henry et son chancelier s'efforcèrent de tenir la balance entre les rivaux, en créant des embarras chez l'adversaire, avec une préférence toutefois pour le roi Habsbourg en raison de la méfiance traditionnelle de l'Angleterre vis-à-vis de la France ; aussi, et surtout, parce que l'interruption du commerce avec les

Pays-Bas eût ruiné les drapiers anglais. Et puis, Charles Quint n'était-il pas le neveu de la reine Catherine ? Henry et François acceptèrent de se rencontrer à l'été de 1520 près de Calais. Ce fut l'entrevue du Camp du Drap d'or. Jamais on ne vit fête plus splendide et plus coûteuse. Les traditions médiévales et les fastes retrouvés de l'Antiquité romaine se mêlèrent pour créer pendant quelques semaines un monde de couleurs, d'or, de joyaux. Un contemporain parle du camp comme « de la huitième merveille du monde ». François Ier voulait éblouir son hôte, mais Henry VIII n'avait nullement l'intention de se retrouver en position d'infériorité. L'entrevue des deux rois fut donc préparée avec minutie. Dans les archives anglaises figure la « description et ordre du camp, festin et joustes ».

Pour empêcher toute confusion, il avait été décidé que chaque roi viendrait avec un nombre limité d'hommes. La suite de Henry VIII se montait à 3 000 hommes et chevaux, sans compter le train de la reine, de la duchesse de Suffolk, et des autres nobles dames. Wolsey, tout de rouge vêtu, arriva le premier, chapeau de cardinal sur la tête, monté sur une mule caparaçonnée de velours rouge clouté d'or ; en or également étaient les boucles et les étriers. Cent cinquante archers à cheval, l'arc baissé et le carquois au côté, l'accompagnaient ainsi que cent gentilshommes.

Henry VIII aimait le faste et ne se priva pas de s'exhiber, couvert de bijoux, en vêtements somptueux. Lorsqu'il se rendit à Ardre pour rencontrer le roi de France, il était vêtu d'une cape de drap d'or, brodée de joyaux et travaillée d'or, d'un pourpoint de drap d'or incrusté de joyaux, et il portait en écharpe les plus beaux joyaux et sur la tête une magnifique coiffure faite de la plus fine toile d'or. Un témoin s'extasia sur sa belle allure et sa barbe rousse, mais constata que le roi « était un peu grasset ». Henry et François « firent leur accolade à cheval », et côte à côte entrèrent dans le Camp du Drap d'or. Pendant près de quinze jours ce ne fut que festins, joutes et danses. Pour rivaliser avec François, Henry s'était fait faire un palais de toile. Ensuite, il se rendit à Calais pour rencontrer Charles Quint auquel il offrit une agape flamande. François Ier avait voulu montrer sa grandeur et sa puissance à Henry. Il ne réussit qu'à faire pencher l'Angleterre du côté de l'empereur : plus il se montrait puissant, plus il inquiétait Henry.

La politique du balancier

À partir de 1520, la diplomatie anglaise se concentra sur la lutte entre François Ier et Charles Quint. L'imbroglio qui en résulta se révéla coûteux pour le Trésor anglais. Dans un premier temps, l'Angleterre commença par s'allier avec l'Empire contre la France. En 1522, elle se trouva même mêlée à une guerre dans laquelle ses intérêts n'étaient nullement en jeu. Les attaques portées par les Anglais en Normandie et dans le nord de la France s'avérèrent futiles et coûteuses. Pis, la population anglaise ne montrait aucun enthousiasme pour ces guerres, et elle était d'autant plus réticente que Wolsey réclamait toujours plus d'argent pour financer les opérations en Europe. La pression fiscale s'accentua, et avec elle le mécontentement. Le cardinal tenta une nouvelle formule d'imposition à laquelle il donna le nom d'*Amicable Grant* (don gracieux). En théorie, il s'agissait d'un don fait au roi par ses sujets bien-aimés. En réalité, l'*Amicable Grant* était une lourde taxe imposée sans l'accord du Parlement. Dire qu'elle fut impopulaire est un euphémisme. Des violences éclatèrent en East Anglia où les drapiers s'opposèrent vigoureusement au « don ». Les citoyens de Londres refusèrent de payer en invoquant un décret de 1484 stipulant que tous les dons d'argent à la couronne étaient supprimés ; quant au clergé, il se rebella carrément.

Devant le mécontentement général, le roi fit marche arrière. Il affirma que cette taxation venait du cardinal, non de lui, et que, bien entendu, il se refusait de l'imposer à ses sujets bien-aimés. Il est impossible que le roi ne fût pas au courant des projets de son chancelier et n'eût pas donné son approbation, mais accuser Wolsey lui permettait de retirer l'impôt sans perdre la face. Henry, autant que Wolsey, voulait la guerre et il se prit même à rêver d'une reconquête du royaume de France. La nouvelle du désastre de Pavie et de la capture de François Ier l'avait comblé de joie ; mais Wolsey travaillait maintenant à un rapprochement avec la France. Par le traité de Cognac (1526), l'Angleterre s'associa à la France, au pape, à Venise et à quelques autres États italiens pour contrebalancer la dominance espagnole dans la péninsule.

François Ier, libéré dans le cadre d'un traité qu'il ne respecta pas, l'ayant signé sous la contrainte, s'était rendu à Cognac où il avait rencontré les ambassadeurs du pape et de Venise. Les termes du traité de Cognac stipulèrent que le roi d'Angleterre, « défenseur de la foi qui avait exhorté les confédérés à faire leur confédération », en serait le protecteur et qu'en récompense, « et par reconnaissance », on lui donnerait les revenus d'un domaine au royaume de Naples d'un montant de trente mille ducats. Un autre domaine de dix mille ducats de revenu devait être donné à Wolsey, « à qui la république chrétienne avait beaucoup d'obligation ».

Il est clair que, dans la première partie du règne de Henry VIII, la politique anglaise fut en partie celle de Thomas Wolsey, toujours motivé par son désir de devenir pape. Si la postérité lui accorda une note plutôt élogieuse concernant la politique étrangère de l'Angleterre, son bilan pour la politique intérieure fut négatif, voire désastreux. Il faisait de l'ombre à trop de seigneurs de l'entourage du roi. L'impopularité de Wolsey montait au fil des ans. La noblesse jalousait son pouvoir, le peuple détestait sa politique fiscale, et tous haïssaient son style de vie, ses mœurs et l'ostentation avec laquelle il faisait étalage de sa fortune et de son pouvoir.

Fut-il derrière l'exécution du duc de Buckingham en 1521 ? Edward Stafford, duc de Buckingham, était le fils d'un seigneur qui s'était rebellé contre Richard III. Dans ses veines coulait le sang d'Edward III. Stafford était un grand seigneur aux immenses possessions, un patriote fougueux, compagnon d'armes et de jeu du roi – mais il était également un homme entier et coléreux ne mesurant pas toujours ses paroles. Il désapprouvait la politique profrançaise menée par le roi et son chancelier et ne se fit pas faute de le crier haut et fort. Il ressentait aussi le fait que son gendre, le comte de Surrey, avait été « exilé » en Irlande. Surtout, il haïssait Wolsey pour sa basse extraction et l'autorité qu'il avait prise dans les affaires du royaume. Le cardinal le lui rendait bien. On sait que le roi avait demandé à son chancelier de le faire surveiller. On peut penser que Henry craignait, faute d'héritier mâle, que le duc fît écarter sa fille Mary de la succession. Buckingham avait-il vraiment déclaré qu'il était prêt à prendre le pouvoir si nécessaire ? Avait-il vraiment clamé que la mort du fils du roi, peu après sa naissance, était un châtiment de Dieu ? C'est très possible. Buckingham fut en tout cas jugé et exécuté pour avoir « souhaité monter sur le trône ».

C'est le duc de Norfolk, en sanglotant, qui prononça la sentence : le malheureux Buckingham devait être « pendu et découpé encore vivant » ; autrement dit, il devait subir la pendaison, l'éventration, et l'écartèlement, châtiment habituel pour trahison. Le roi néanmoins eut pitié de lui et décida de changer la sentence en décapitation. Mais on peut voir dans ce geste l'inquiétude ressentie par Henry du fait que Catherine n'avait pas donné naissance à un fils viable et ne pouvait plus avoir d'enfants. Pour un roi, le manque d'héritier mâle est une tragédie. Même en Angleterre, où la loi salique n'existe pas, on envisageait avec appréhension que le royaume « tombât en quenouille ». Le fait qu'il n'avait pour seul successeur que la petite Mary ne pouvait manquer d'aiguiser les appétits d'une noblesse ambitieuse. Henry avait besoin d'un héritier. L'avenir de la dynastie Tudor l'exigeait, mais pas seulement : on pouvait craindre aussi une nouvelle guerre des Deux-Roses.

Les frustrations du roi

L'incapacité de la reine à lui donner une progéniture mâle fut pour Henry une source de souffrance et de frustration intenses. Son union avec Catherine avait été harmonieuse. Elle avait été rapidement enceinte et elle avait mis au monde un garçon le 1er janvier 1511. Le roi s'était aussitôt précipité au sanctuaire de Sainte-Mary de Walsingham pour rendre grâce. Mais l'enfant mourut au bout de quelques jours. Catherine avait fait de nombreuses fausses couches et eu une fille, Mary, née le 18 février 1516. De six ans l'aînée de Henry, Catherine avait passé l'âge de procréer et le roi cessa de s'intéresser à elle. Il regarda ailleurs. Ses aventures extraconjugales furent peu nombreuses, comparées à celles d'un François Ier ou d'un Henri IV, et d'ailleurs, en ce temps-là, on n'était pas très regardant sur la fidélité des rois à leurs épouses. On sait qu'il succomba à la tentation de l'adultère en 1514, peut-être pour la première fois, lorsqu'il rencontra la jolie Elizabeth Blount, dame d'honneur de la reine Catherine et cousine de Lord Mountjoy. La jeune fille avait 15 ans. En 1519, elle donna naissance à un fils illégitime qui fut appelé Henry Fitzroy. Pourvue d'une confortable dot en terres dans le Lancashire, Bessie Blount fut mariée au baron Tailboys. Henry VIII veilla à ce que le jeune Fitzroy reçût l'éducation d'un prince de la Renaissance.

Il y eut ensuite Mary, épouse de sir William Carey, fille du diplomate et conseiller royal sir Thomas Boleyn, compagnon de jeu de Henry. Il ne semble pas que la liaison fut longue, car 1526 marque l'arrivée à la cour, parmi les dames d'honneur de la reine, de la plus jeune des filles de Thomas Boleyn, Anne. À l'âge de douze ans, elle avait été envoyée en France par son père, où elle fit son apprentissage à la cour de la reine Claude. Ce séjour dans une cour connue pour ses mœurs dissolues suffit à diaboliser Anne auprès de ses contemporains ; comme ses grands yeux noirs, dont elle jouait. Les descriptions mentionnent également ses cheveux très sombres, son cou très mince, sa bouche trop grande. Il ne semble pas qu'elle fût une beauté, selon les critères du temps, mais elle était jeune et attirante, et le roi en tomba éperdument amoureux. Elle était aussi intelligente, cultivée, facétieuse, parlait parfaitement français et savait « danser et sonner de la flûte ».

La belle se refusa à lui. La flamme du roi, loin de s'éteindre, grandit en chaleur ; Anne l'obséda littéralement. Les lettres qu'il lui envoya, écrites laborieusement de sa propre main, en français, attestent de son amour en termes touchants :

> Ma maîtresse et amie, moy et mon cœur, se mettent entre vos mains, vous suppliant les avoir pour recommandés à votre bonne grâce, et que par absence de votre affection ne leur soit diminuée, car pour augmenter leur peine, ce serait grande pitié.

Et il lui envoya sa « picture en bracelette » portant sa devise.

Puis il lui écrivit encore :

> [J]e vous supply, ma entière aimée, de n'avoir point de peur de notre absence vous trop ennuyer, car où que je soy, vostre suis...

Ceux qui pensaient que le roi ne faisait que ce que Wolsey voulait se trompaient. Se trompèrent aussi ceux qui interprétèrent la résistance d'Anne à céder à la passion du roi comme une manœuvre de sa famille. Il y avait bien plus que cela. Sans doute Anne voulait-elle le mariage à tout prix, mais Henry aussi puisque seul le mariage pouvait lui apporter un héritier légitime. La question de la succession à la couronne le tourmentait tant qu'il avait même songé, en 1525, à faire de Henry Fitzroy son successeur légitime. Après qu'il eût délibérément cessé d'avoir des relations avec Catherine, il le fit duc de Richmond. Ce titre, qu'avait porté son grand-père Henry VII, lui donnait la préséance sur toute la noblesse. L'illégitimité n'était pas, après tout, un empêchement absolu. Il y avait des précédents dans l'histoire anglaise. Guillaume le Conquérant n'avait-il pas été lui-même un bâtard ?

Il y a encore à prendre en compte le fait religieux. N'oublions pas que le roi se passionnait pour la théologie – il avait fait œuvre de théologien dans sa controverse avec Luther – et qu'il était très pieux, écoutant deux messes par jour, plus la grand-messe les jours de fête, à en croire l'ambassadeur vénitien. En tout cas, face à l'absence d'héritier, les doutes qui avaient assailli Henry lorsqu'il avait été sur le point d'épouser Catherine resurgirent en force. Et s'il était puni pour avoir « dévoilé la nudité de son frère » ? Il lut et relut les deux fameux textes du Lévitique (18,16 et 20, 21). Dans Lévitique 20, 21, plus particulièrement, il était dit :

> Quand un homme prend pour épouse la femme de son frère, c'est une souillure ; il a découvert la nudité de son frère, ils seront privés d'enfants.

Pour avoir péché en épousant Catherine, il était privé de fils ! Si Henry VIII avait été sincère au moment de son mariage, il est impossible de ne pas croire à sa sincérité douze ans plus tard ; même si son amour pour Anne apparaît comme un motif supplémentaire de vouloir se séparer de Catherine ; même si, dans son zèle pour faire annuler son mariage, il fit l'impasse sur un autre texte de l'Ancien Testament qui contredit dans une certaine mesure les préceptes du Lévitique. Au verset 5 du chapitre 25 du Deutéronome, il est écrit en effet :

> Si des frères habitent ensemble et que l'un d'eux meure sans avoir de fils, la femme du défunt n'appartiendra pas à un étranger, en dehors de la famille ; son beau-frère la prendra pour femme et fera à son égard son devoir de beau-frère.

Henry n'eut bientôt plus qu'une idée en tête : mettre un terme à une union coupable devant Dieu. Catherine elle-même, fatiguée, usée par les grossesses répétées dont si peu furent portées à terme, consciente de son incapacité à donner un héritier à Henry, sentait monter en elle un sentiment de culpabilité. La jeunesse de sa rivale, pleine de vie et de gaîté, coquette et aguicheuse, renvoyait la reine à son miroir. Petite et assez forte, Catherine avait passé quarante ans ; sa bonté, sa grande piété, son extrême popularité et les nombreuses langues qu'elle parlait étaient plus souvent évoquées que sa beauté. Elle fit preuve, en tout cas, d'un magnifique courage dans l'adversité. Elle resta digne, garda la tête haute, et conserva entière l'affection du peuple anglais, cependant qu'autour d'elle un groupe de fidèles serrait les rangs. Thomas More et John Fisher furent pour elle des soutiens sans faille. Plus que les incartades de son mari, ce qui la fit le plus souffrir fut sans doute d'être tenue dorénavant à l'écart des décisions prises par Henry. Elle avait perdu toute influence sur lui. Lorsque l'ambassadeur impérial Inigo de Mendoza, évêque de Burgos, vint lui rendre visite à son arrivée en Angleterre, en décembre 1526, il la trouva bouleversée car elle venait d'apprendre que le titre de duc de Richmond avait été donné au fils illégitime de Henry sans qu'elle en eût eu connaissance ; elle était aussi en colère à cause de l'alliance passée avec la France, et se plaignit de ne plus être mise au courant des affaires publiques. D'après Mendoza, elle s'efforçait d'infléchir la politique de Wolsey par le truchement d'amis, partisans de l'alliance avec l'Empire et des traditions anciennes.

Mais la politique anglaise était désormais profrançaise et Catherine ne pouvait compter sur son neveu pour faire pression sur Henry. La signature du traité de Westminster, en avril 1527, fut le début d'une longue période de paix entre l'Angleterre et le royaume de France. L'infatigable Wolsey s'était donné corps et âme à cette union, d'autant que l'empereur n'avait rien fait pour essayer de lui obtenir la tiare. Selon Mendoza, sa politique était peu appréciée du peuple anglais qui ne ressentait que de la haine pour Wolsey. D'une part à cause de l'hostilité traditionnelle des Anglais pour la France ; d'autre part parce qu'un conflit avec l'empereur risquait d'entraîner la ruine économique du pays. Entre le roi et son chancelier, les relations commencèrent à s'aigrir sérieusement.

La situation sur le continent était confuse. En janvier 1528, Henry VIII entra très brièvement et sans frais en guerre contre Charles Quint pour honorer son union avec François Ier. Leurs deux hérauts d'armes se présentèrent à Burgos et sommèrent Charles de faire la paix à leurs conditions. Ils repartirent quelques jours plus tard, porteurs de messages de Charles Quint incriminant François Ier pour avoir manqué à sa parole et à son honneur, et Henry VIII pour vouloir se séparer de son épouse légitime, dénonçant au passage la cupidité et l'ambition de Wolsey, que le roi d'Angleterre écoutait trop. De leur côté, les papes vacillaient au gré de leurs intérêts. Léon X et Clément VII, deux Médicis, confondirent leurs intérêts propres avec ceux du Saint-Siège et se mêlèrent à tous les conflits, balançant d'une union à l'autre. Clément VII paya le prix fort. Au mois de mai 1527, les impériaux l'attaquèrent. Les troupes, qui n'avaient pas été payées, mirent Rome à sac et le pape fut fait prisonnier par Charles Quint qui invoqua comme excuse – et il n'avait pas tort – le fait que Clément VII s'était comporté en chef d'État, non en chef de l'Église.

Voilà qui allait compliquer la tâche de Thomas Wolsey, chargé par Henry VIII d'une mission particulièrement délicate : faire annuler son mariage avec Catherine pour cause d'invalidité. Or le pape ne souhaitait pas subir une nouvelle fois les foudres de Charles Quint. Wolsey avait vu d'un très mauvais œil l'histoire d'amour entre le roi et Anne Boleyn, car il craignait son influence et l'influence de sa famille sur le roi. Les Boleyn étaient non seulement de riches marchands de Londres, mais par sa mère, Anne descendait aussi des comtes d'Ormond, une prestigieuse famille anglo-irlandaise, et son grand-père était le deuxième duc de Norfolk. Derrière Anne, un puissant parti allait se constituer, hostile au cardinal, mené par son oncle Thomas Howard, troisième duc de Norfolk, et par Charles Brandon, duc de Suffolk, beau-frère de Henry VIII.

5

La « grande affaire » du roi

Troubles de conscience

La « grande affaire » du roi commença à l'été de 1527 et prit fin en 1533. Six années de tractations infructueuses avec la papauté, six années de frustrations et de tensions qui allaient changer le cours de l'histoire de l'Angleterre.

Au mois de mai 1527, Henry VIII avait pris sa décision. Persuadé de son bon droit, il consulta Wolsey, ainsi que des juristes, au sujet de l'annulation de son mariage avec Catherine et entama secrètement les premières démarches. Wolsey, en vertu de ses pouvoirs de légat *a latere*, réunit dans sa résidence de Westminster un tribunal extraordinaire pour statuer sur la validité du mariage du roi, sa requête s'appuyant sur les deux fameux textes du Lévitique. Wolsey expliqua à la cour que les scrupules du roi lui venaient en partie de ses lectures de la Bible, en partie de discussions qu'il avait eues « avec de nombreux théologiens ». Il démontra que le roi avait été marié grâce à une dispense de Jules II, qu'il avait toujours mis en doute la légitimité de la dispense et donc de son union – et que maintenant, il en demandait l'annulation. Le 22 juin, Henry informa brutalement Catherine qu'elle n'était pas son épouse légitime et qu'ils vivaient dans le péché depuis dix-huit ans.

Wolsey s'occupa du pape. Clément VII semble avoir accepté dans un premier temps d'étudier la question. Il fit savoir qu'il ne demandait qu'à contenter le roi d'Angleterre et le légat, mais qu'il n'avait jamais eu « aussi peur des Espagnols, qui occupaient toutes les terres de l'Église ». L'affaire du divorce de Henry compliquait encore la situation peu confortable dans laquelle se trouvait le pape. Il lui fallait agir avec circonspection. Mais disons-le, il ne balança pas longtemps entre Charles Quint et Henry VIII. L'empereur était un adversaire autrement plus redoutable que le roi d'Angleterre dans son île.

Bouillonnant d'amour, Henry attendait avec impatience les nouvelles de Rome. Durant six ans, toute son activité, toute sa politique, toutes ses décisions tournèrent autour de sa « grande affaire ». Mais Henry n'attendit pas en se morfondant. La cour du roi d'Angleterre était toujours aussi gaie ; et le roi ne se privait ni de festins, ni de parties de chasse, ni de danses, ni de joutes, ni d'amour. Il aimait la bonne chère, dont il abusait, et de « grasset » devenait gros. Avec Anne, qui avait fini par succomber, il vivait pleinement son amour. Elle parada à son bras, sous les yeux de Catherine, vêtue des plus beaux atours. À la cour, la tension entre les clans était palpable. Henry supportait de plus en plus difficilement son chancelier, qu'il rendait responsable du manque de coopération de Clément VII. Après consultation des cardinaux, le pape avait fait savoir au mois de janvier 1528 qu'il accorderait le divorce au cas où la nullité serait déclarée. Mais là était justement le problème.

Il fallait essayer autre chose. Dans le dos de Thomas Wolsey, Henry envoya à Rome deux émissaires – Stephen Gardiner, professeur de droit canon à Cambridge, et Edward Foxe, docteur en théologie – afin de démontrer à Clément VII que le mariage n'avait été organisé que dans le but d'instaurer la paix entre l'Espagne et l'Angleterre ; or la paix étant établie entre les deux royaumes, le mariage n'avait plus de raison d'être et par conséquent était invalide. Devant le manque de succès de la délégation, Henry dépêcha à nouveau Gardiner à Rome. Le pape accepta finalement d'envoyer un légat à Londres. À l'automne, le cardinal Lorenzo Campeggio arriva avec une proposition plutôt surprenante : il suggérait que Catherine entrât au couvent, ce qui permettrait au roi de se remarier pour raison de « mort spirituelle ». Mais c'était là demander l'impossible à Catherine qui refusa hautement de se soumettre à cette « mort spirituelle » et contre-attaqua en envoyant un émissaire secret en Espagne prévenir son neveu, afin qu'il fît pression sur Clément VII. Si Charles et Clément VII faisaient la paix, la position de Wolsey deviendrait très délicate.

Exit Thomas Wolsey

Le cardinal-chancelier avait fait de mirifiques projets propres à satisfaire ses ambitions tout en réglant la question du « divorce ». Il résolut de profiter de la présence des troupes impériales à Rome pour faire transférer le Saint-Siège à Avignon. Il voulait la tiare à tout prix. Il chercha des appuis pour son projet sur le continent, rencontra de nombreux cardinaux, mais seulement quatre d'entre eux, dont trois français, envisagèrent sérieusement ce transfert de la papauté à Avignon. Et tandis qu'il courait après des chimères, les semaines loin du roi passaient. Pendant ce temps, Henry subissait l'influence du clan Boleyn. Wolsey ne pouvait l'ignorer. Lorsqu'il rencontra en France sir William Fitzwilliam, un cousin d'Anne Boleyn, il lui demanda aussitôt ce que faisait le roi. La réponse de Fitzwilliam le consterna : le roi « passait son temps à la chasse » et soupait dans ses appartements privés avec les ducs de Norfolk et de Suffolk, le marquis d'Exeter et lord Rochford, c'est-à-dire Thomas Boleyn, bientôt comte de Wilshire et Ormond. Wolsey avait de quoi s'inquiéter, d'autant qu'il était clair désormais que Clément VII ne donnerait jamais satisfaction à Henry. La reine demanda au mois de mars que le procès en annulation se tînt à Rome ; le mois suivant, le roi, perdant patience, ordonna aux deux légats, Wolsey et Campeggio, d'instruire le procès à Londres.

Celui-ci s'ouvrit le 18 juin 1529 aux Blackfriars. La demande d'annulation de Henry reposait sur deux arguments : la loi divine interdisait l'union d'un homme avec la femme de son frère ; la dispense accordée par Jules II était invalide puisqu'elle violait la loi de Dieu. On fit appel à toute une galaxie d'érudits hébraïsants et hellénisants, de théologiens chrétiens et juifs, de canonistes. Le 24 juin, Henry et Catherine se présentèrent devant les juges. Catherine implora le roi de ne pas l'abandonner et annonça qu'elle faisait appel au pape. Se jetant aux pieds du roi, elle clama sa virginité au moment de son mariage :

> Quand tu m'as prise la première fois, Dieu soit mon témoin, j'étais une vraie jeune fille, qu'aucun homme n'avait touchée, et ta conscience te dira si je mens.

Henry, très ému, tenta de la relever. Mais cette scène dramatique ne le laissa pas moins déterminé à faire annuler son mariage. Il répétait sans répit les mêmes arguments : il ne voulait rien d'autre que soulager sa conscience « pour le salut de [s]on âme ». Mais le pape, qui avait des yeux et des oreilles à la cour, avait été averti que l'intention de Henry était d'épouser Anne Boleyn sitôt l'annulation prononcée. Catherine trouva en l'évêque de Rochester, John Fisher, son plus ardent défenseur. Lors de la cinquième audience, Fisher prononça un discours pathétique dans lequel il affirma clairement que le mariage du roi et de la reine ne pouvait être annulé par aucun pouvoir, « humain ou divin », et qu'il était prêt à donner sa vie pour maintenir cette opinion. Il se compara à Jean-Baptiste s'élevant contre Hérode parce que celui-ci avait contracté une union incestueuse. C'était là, en effet, le point central de la demande d'annulation de Henry : il voulait annuler son union parce qu'elle lui semblait incestueuse. Néanmoins, la comparaison avec Hérode, personnage de la Bible peu recommandable, déplut fortement au roi – et plus encore le fait que l'évêque déclara son mariage indissoluble, qu'il fût incestueux ou pas. Lorenzo Campeggio écrivit que l'affaire

Rochester, totalement imprévue, « laissa tout le monde dans la perplexité ».

Le procès fut ajourné avant qu'une sentence eût été prononcée. Malgré les appels de Clément VII à la condamnation du roi d'Angleterre, Campeggio se sentait incapable de trancher dans un sens ou dans l'autre. Wolsey dut porter la responsabilité de l'échec. Lorsque, le lendemain, il se rendit chez le roi en compagnie de Campeggio, Henry était prêt à partir avec Anne pour une promenade à cheval et un déjeuner sur l'herbe. Il éconduisit les deux cardinaux. Deux jours plus tard, les ducs de Suffolk et de Norfolk demandaient à Wolsey de rendre le Grand Sceau. Il y a tout lieu de croire qu'Anne et les siens avaient joué un rôle important dans la disgrâce de Thomas Wolsey ; et pour qu'elle fût totale, on le pria de se retirer sur son domaine d'Esher, dans le Surrey. Il paraît évident que Henry n'était pas insensible au sort de son chancelier, qui l'avait servi pendant de si longues années, et Wolsey espérait que cette disgrâce ne serait que passagère. Mais les jeux étaient faits.

Au mois d'octobre, Wolsey comparut devant le *King's Bench*, accusé de violation au statut de *Praemunire* pour avoir porté le titre de légat *a latere* en Angleterre, « contrairement au décret », et avoir ainsi « terriblement offensé la plupart des prélats de ce royaume et nombre de sujets du roi ». Il reconnut humblement qu'il méritait pour cela l'emprisonnement perpétuel et l'abandon de toutes ses terres, charges et biens, selon le bon vouloir du roi. En plus de son incapacité à mener à bien les tractations avec Clément VII, il était devenu peu utile au roi du fait de l'évolution de la situation internationale. Le pape s'était en effet réconcilié avec Charles Quint, qu'il couronna empereur le 30 février 1530 à Bologne ; François Ier et le nouvel empereur avaient signé un traité de paix qu'ils entendaient bien respecter afin de se consacrer à la politique intérieure. L'un et l'autre se trouvaient confrontés, sur leurs territoires, à la montée de la Réforme. François Ier pouvait se permettre une répression brutale et envoyer au bûcher les partisans de la « secte » luthérienne, encore peu nombreux ; pour Charles Quint, en Allemagne, il était déjà trop tard. Lors de la diète de Spire, en 1529, pas moins de six princes et de quatorze villes – dont Strasbourg et Nuremberg – représentaient le christianisme réformé. Par la suite, la Réforme allait s'étendre à d'autres villes allemandes et à d'autres princes.

Les nouveaux hommes du roi

Tout porte à croire que, dans l'entourage du roi d'Angleterre, et surtout dans le clan Boleyn, certains se sentaient attirés par les idées réformées. On dit même qu'Anne lisait des écrits luthériens. Mais, pour l'heure, le plus important était de trouver un moyen d'obtenir l'annulation du mariage. Quand Henry comprit que jamais il ne l'obtiendrait du pape, la question du mariage, ainsi que l'écrit fort justement Bernard Cottret, « se transforma en procès de la papauté ». Thomas Wolsey fut une des victimes de la nouvelle politique : on découvrit fort à propos que depuis York, où il était maintenant confiné, il avait poursuivi ses intrigues à l'étranger et ses relations avec le pape. Accusé de trahison, il fut arrêté et conduit à Londres sous bonne garde. Malade, il mourut d'épuisement avant d'arriver à la Tour.

La charge de chancelier fut confiée à Thomas More, mais les deux hommes forts du royaume, durant ces années décisives pour l'Église d'Angleterre, furent Thomas Cromwell et Thomas Cranmer. De la jeunesse de Cromwell, issu d'une famille modeste, on sait peu de choses sinon qu'il avait beaucoup voyagé et parlait plusieurs langues étrangères. On disait de lui qu'il était plein d'esprit et aimait la conversation. C'était aussi un homme d'une grande intelligence, un administrateur hors pair qui gravit discrètement et rapidement les échelons du pouvoir. Il avait été au service de Wolsey ; il devint conseiller du roi, qui le fit chancelier de l'Échiquier puis *Lord Privy Seal*, c'est-à-dire gardien du Sceau personnel du roi. Il changea totalement la politique mise en place par Wolsey et engagea le roi sur une route qui mena à l'indépendance de l'Église anglaise. Cranmer, lui, était un juriste formé à la *Common Law*, un théologien de Cambridge et un homme d'Église. Le patronage de la famille Boleyn lui permit d'approcher Henry VIII. En raison de ses compétences juridiques, le roi lui confia le soin de régler sa « grande affaire » en produisant les arguments nécessaires pour obtenir l'annulation de son mariage. Il trouva la solution en posant le problème de la souveraineté du roi en son royaume, mettant en doute le droit du pape sur la juridiction anglaise. Il proposa donc que le roi fît juger sa cause par les évêques de son pays.

Mais d'abord, Henry consulta les universités sur son cas : Oxford, Cambridge, Paris, Bologne, acceptèrent de l'examiner. Il reçut même quelques réponses favorables qu'il fit publier en latin. Ensuite, il convoqua un Parlement, nommé par la suite le *Reformation Parliament*, qui siégea de 1529 à 1536. Enfin, Cromwell et Cranmer élaborèrent et diffusèrent toute une littérature de propagande anti-papale, démontrant l'indépendance spirituelle et territoriale des États-nations, et donc de l'Angleterre. Cette campagne de propagande auprès des Anglais contre les prétentions « exorbitantes » de la papauté et les abus du clergé eut pour résultat de provoquer un fort sentiment anticlérical, un front anti-papal uni, une méfiance irréductible vis-à-vis de l'universalité latine que Rome incarnait, et *in fine* un renforcement du particularisme propre aux insulaires.

Le Parlement de la Réformation partit en guerre contre le Saint-Siège, grignotant l'un après l'autre les privilèges du pape. En 1529, une loi interdit au clergé de se présenter devant des cours canoniques. En 1530, les décrets de *Praemunire*, interdisant à tout individu la possibilité de faire appel à une puissance étrangère, furent rétablis : quinze ecclésiastiques furent aussitôt accusés de violation de la législation. En 1532, Rome fut privé d'une partie des taxes ecclésiales qui lui étaient versées chaque année ; puis le Parlement menaça le pape de lui retirer tous ses revenus si le roi n'obtenait pas dans un délai d'un an l'annulation de son mariage. En 1533, Cranmer, nouvel archevêque de Canterbury, déclara nul et sans valeur le mariage de Henry VIII avec Catherine, puis affirma la validité de son union avec

Anne. En 1534, il fut décidé que toutes les taxes sur les revenus ecclésiastiques du pape devaient être transférées à la Couronne. À l'été, par le biais du *Supremacy Act*, le roi fut reconnu par le Parlement comme le seul chef suprême sur la terre de l'Église d'Angleterre – appelée *Anglican Ecclesia*. Ainsi que « ses héritiers et successeurs, à leur tour rois de ce royaume », il aurait dorénavant la charge d'extirper de l'Église « toute erreur, hérésie et autres énormités et abus » qu'une autre autorité spirituelle avait auparavant dénoncés. Avec le *Supremacy Act* commença la dissolution des monastères à travers tout le royaume.

Non moins important pour l'avenir de l'Angleterre fut le *Succession Act*, passé le 23 mars 1534 : considérée comme enfant illégitime, du fait que le mariage de ses parents avait été déclaré nul et sans valeur, Mary était exclue de la succession, tandis que les enfants du roi nés d'Anne Boleyn seraient reconnus seuls héritiers. Il fut ordonné aux conseillers du roi de prêter serment les premiers. Refuser serait considéré comme un acte de trahison envers le roi, ainsi que le prévoyait le *Treason Act*. On a vu que Thomas More refusa de prêter serment à cause du préambule, lequel permettait au roi de statuer désormais sur les questions spirituelles. Arrêté et condamné – de même que John Fisher et quelques autres –, More maintint avec courage sa position. Il fut exécuté le 6 juillet 1535. Cranmer avait fait appel à la clémence du roi. Mais Henry était bien décidé à marquer de son empreinte cette nouvelle Église dont il était désormais le chef.

Les exécutions de Thomas More et, plus encore, de John Fisher choquèrent profondément les cours européennes. Mais en faisant vibrer la corde sensible du nationalisme, Henry put garder le soutien de son peuple. Les Anglais virent même en lui un héros qui incarnait les libertés anglaises face à une juridiction étrangère. Henry n'en resta pas moins un bon catholique, même s'il se convainquit qu'il avait eu tort de se battre pour le pape en 1512 et d'écrire un traité pour la défense des sept sacrements. Il s'en prit même au dogme du purgatoire. Il est certain qu'Anne penchait fortement vers les idées évangéliques. Elle favorisa la traduction de la Bible en anglais, qu'elle-même lisait régulièrement, et elle apporta son patronage aux théologiens de Cambridge en quête d'une réforme de l'Église. Enfin, elle trouva en Thomas Cromwell et en Thomas Cranmer des alliés de choix. Que tous deux eussent été touchés par les « nouvelles idées » est un fait et on sait que Cranmer entretint des rapports avec Bucer et quelques réformateurs suisses. Les réformateurs du continent avaient d'ailleurs été consultés sur la question de l'annulation du mariage de Henry avec Catherine. Luther, qui n'avait pas oublié la diatribe de Henry VIII contre lui, insista sur l'indissolubilité des liens du mariage ; Melanchthon, toujours conciliant, suggéra la bigamie ; Bucer, se fondant sur la Bible, évoqua la possibilité de la polygamie. Cranmer et Cromwell adoptèrent une solution infiniment plus radicale. Grâce à eux, le roi obtint finalement l'annulation de son mariage. Pour rendre au roi sa liberté, il fallut chasser le pape d'Angleterre.

Enfin libre

Anne s'étant trouvée enceinte, Henry l'avait épousée secrètement. Une fois son union avec Catherine annulée par le *Reformation Parliament*, il épousa officiellement sa belle. Il le fit dans l'intimité, au mois de janvier 1533. Puis, au mois de juin, eut lieu le couronnement d'Anne. Elle arriva à Londres à bord d'un bateau richement décoré, suivi d'une flotte de plus de cent bateaux. Deux jours plus tard, Thomas Cranmer la couronnait. Des témoins oculaires, peut-être hostiles à la jeune femme, rapportent que peu de personnes se pressèrent pour la voir « même parmi les femmes et les enfants », et qu'il y eut peu de « God save the King » et de « God save the Queen » clamés sur son passage. Des commères notèrent qu'elle portait une robe propre à dissimuler une grossesse…

À la grande déception du roi, Anne accoucha d'une fille, Elizabeth, le 7 septembre 1533. L'enfant eut pour parrain Thomas Cranmer. Mais rien n'indique que Henry avait assisté au baptême de sa fille. Anne fit par la suite quelques fausses couches et il sembla au roi qu'il revivait le cauchemar de son union avec Catherine. Anne, contrairement à Catherine, était encore très jeune ; néanmoins Henry commença à chercher l'amour ailleurs. Il jeta son dévolu sur la jeune et jolie Jane Seymour, fille d'un juge de paix, grand propriétaire du Wiltshire, sir John Seymour. La situation de la nouvelle reine était plus dramatique encore que celle de Catherine qui, très aimée, avait été entourée et soutenue. Beaucoup, d'ailleurs, la pleurèrent quand elle mourut, en janvier 1536. Le roi, lui, non seulement se réjouit, mais il eut aussi le mauvais goût de s'habiller ce jour-là en jaune – tel un poussin géant et bedonnant. Car le roi continuait à manger outre mesure.

Malgré ses dons intellectuels et son charme, Anne ne sut pas se faire aimer ; à la cour, tous épiaient ses faits et gestes. Elle s'était toujours entourée d'une foule de fringants jeunes gens ; délaissée par le roi, a-t-elle succombé à l'un voire à plusieurs d'entre eux ? Les rumeurs d'infidélité s'enflèrent et vibrèrent jusqu'aux oreilles du roi. Cranmer tenta de le calmer. Il exhorta Henry à la patience, « comme Job en son temps », et, courageusement, lui fit part de son étonnement et de la perplexité de son esprit, « car je n'ai jamais eu si bonne opinion d'une femme que j'aie eu d'elle ; ce qui me laisse à penser qu'elle ne peut être coupable ». Mais le roi ne pensait qu'à se débarrasser de la pauvre Anne, et Cranmer, en serviteur obéissant, s'inclina. Une nouvelle rumeur courut : la reine aurait eu des relations incestueuses avec son frère George Rochford. Rien désormais ne pouvait plus sauver Anne, qui fut conduite à la Tour. Elle monta sur l'échafaud le 19 mai 1536, sans avoir reconnu sa culpabilité. Elle fit preuve, au moment de la mort, de dignité et de courage, présentant elle-même son cou à l'exécuteur. Ses derniers mots furent : « Mon Dieu, aie pitié de mon âme. » Deux jours plus tôt, Cranmer avait déclaré la nullité du mariage sous prétexte que le roi avait eu auparavant des relations sexuelles avec la sœur d'Anne, tombant ainsi à nouveau sous la loi du Lévitique. Elizabeth, comme sa demi-sœur Mary, était désormais une enfant illégitime. Thomas Cromwell n'avait pas assisté à l'exécution. Un témoin qui le rencontra à l'aube, marchant dans les jardins de Lambeth Palace en pleurant, rapporta ses paroles : « Celle qui a été la reine d'Angleterre en ce monde deviendra aujourd'hui reine dans le ciel. »

Le 30 mai, Henry VIII épousait Jane Seymour.

6

Pape en son royaume

Le Pèlerinage de Grâce

L'exécution d'Anne ne troubla pas Henry. On raconte même qu'il exulta et fit la fête. Il était convaincu de son infidélité, disant qu'elle avait commis l'adultère avec « une centaine d'hommes ». Il n'est pas du tout sûr qu'elle lui ait été infidèle et ce ne fut pas, d'ailleurs, la raison invoquée lors de l'annulation du mariage. Cependant, elle aurait laissé entendre qu'elle n'aimait plus le roi. Les deux frères Boleyn, mêlés au scandale, furent également exécutés ; c'en fut fini de l'influence du clan sur le roi. La chute des Boleyn concorda avec la montée des Seymour. Norfolk seul parvint à se maintenir dans les bonnes grâces de Henry en se désolidarisant de sa nièce, qu'il ne semble jamais avoir tenue en haute estime. Il forma par la suite un parti hostile à la politique de Cromwell.

Thomas Cromwell n'avait pas non plus soutenu la reine Anne, moins par ambition personnelle, sans doute, que dans un but religieux et politique. Il était nécessaire qu'il restât en place pour stimuler le zèle évangélique du roi. La diffusion de la Bible en anglais dans les paroisses fut son œuvre ; il est indéniable que la lecture et l'écoute de la Parole influèrent sur le comportement religieux du peuple. Mais, répétons-le, même si la lecture de la Bible devint un élément majeur de la piété anglaise, l'Angleterre ne devint pas brusquement protestante parce que le roi, au lieu du pape, était devenu le chef de l'Église. La préoccupation majeure du roi avait été d'assurer l'indépendance de l'Angleterre vis-à-vis du Saint-Siège, et les mesures qu'il prit, telles la dissolution des ordres religieux et la destruction de « lieux saints » ainsi que de quelques représentations religieuses, allèrent dans ce sens. Aussi bien Cromwell et Cranmer craignaient-ils la propagation d'une réforme radicale qui mettrait en péril la voie médiane qu'ils essayaient de mettre en place, et si Cranmer voulut sauver quelques « hérétiques », en général des anabaptistes, en leur montrant patiemment leurs erreurs, Cromwell les laissa partir au bûcher sans état d'âme apparent. Contrairement à la situation en Allemagne, nul illuminé en Angleterre n'exhorta à l'insurrection au nom de la Réforme évangélique. Il y eut certes des « émotions » en 1536, mais les rebelles, pour la plupart, réclamaient un retour aux traditions anciennes.

Ce mouvement regroupait des nobles, des membres du clergé, des moines et des paysans, et certains seigneurs, tel lord Darcy de Templehurst, pair du royaume, étaient déterminés à faire appel si nécessaire à l'Écosse et à l'empereur. Les premiers grondements se firent entendre dans les Midlands et dans le Nord, alors que le roi fêtait joyeusement sur la Tamise son troisième mariage. À ces « émotions » fut donné le nom collectif de « Pèlerinage de Grâce » parce que, dans le Yorkshire, les rebelles s'étaient unis par un serment de « pèlerins de la Grâce ». Rébellions féodales ? Sans doute, dans le cas de quelques seigneurs. Ainsi lord Darcy tramait-il depuis trois ans sa révolte contre l'autorité centrale et la place prise auprès du roi par Cromwell. L'opposition aux nouveaux venus de l'entourage du roi, qui dépouillaient les églises de leurs trésors et la noblesse ancienne de ses pouvoirs, revient constamment dans les revendications.

Mais il y avait d'autres raisons de mécontentement : les plaintes contre les propriétaires rapaces et une fiscalité injuste côtoyaient les doléances concernant la suprématie royale et les changements en matière de religion. Dans le Lincolnshire, les revendications, majoritairement religieuses, allaient du retour de l'Angleterre dans le giron de la papauté au renvoi des évêques hérétiques ou hétérodoxes. Difficile de définir ce que fut ce « Pèlerinage de Grâce » ; mais il est important d'en souligner la non-violence relative. Tout se passa à peu près dans l'ordre et tous montrèrent pour le roi le plus grand respect. Les méchants, c'étaient les conseillers.

Le roi ne s'émut pas outre mesure lorsque Norfolk et Suffolk l'avertirent du danger que représenterait cette agitation si jamais elle s'étendait et si le mouvement se durcissait. Il les traita d'incapables et de timorés puis il écrivit de sa main une lettre aux représentants des insurgés pour leur faire savoir qu'il n'écouterait jamais une revendication présentée les armes à la main. Il parvint à calmer les rebelles qui déposèrent les armes et obtinrent leur pardon ; Norfolk promit que leurs doléances seraient examinées. Mais il y eut de nouveaux mouvements insurrectionnels dans l'est du Yorkshire, et Norfolk, en tant que lieutenant du roi, proclama cette fois la loi martiale. Près de 200 personnes furent exécutées, dont lord Darcy et d'autres membres de la noblesse. Le retour au calme fut facilité par l'épidémie de peste qui sévit en 1537 ; alors le roi oublia les demi-promesses faites aux insurgés.

La chasse aux princesses

En tout cas, en l'an de grâce 1537, Henry VIII s'était apparemment gagné les faveurs divines puisque Jane Seymour, rapidement enceinte, donna naissance, le 12 octobre, à un petit Edward. La joie de Henry fut à son comble : sa succession était assurée ! Malheureusement, la jeune femme ne se remit jamais de son accouchement et mourut douze jours plus tard. Le roi envoya aussitôt ses ambassadeurs auprès des cours européennes pour y chercher une nouvelle épouse. Dès lors, disons-le, la quête de l'élue tourna au burlesque. Son fils bâtard, Henry Fitzroy, duc de Richmond, était mort l'été précédent et ses deux filles étaient devenues illégitimes par sa propre volonté. Sa descendance légale reposait donc seulement sur le frêle Edward. Fut-ce la raison qui le poussa si vite à se remarier ? À en croire Cromwell, le roi y était peu enclin, mais « certains », au conseil, estimaient que, « pour le bien du royaume », il était urgent qu'il prît une nouvelle épouse. C'était son devoir de souverain. Une autre raison qui peut expliquer cette précipitation était la santé de Henry VIII. Il avait d'abord contracté une affection pulmonaire ; ensuite, on lui avait « estoupé » des fistules sur les jambes. Le bruit de sa mort avait même circulé. Il souffrit beaucoup mais il survécut. L'état de santé du roi, néanmoins, n'échappa à personne. Il n'y avait pas d'instant à perdre. Cranmer penchait pour une princesse anglaise ; Cromwell voulait que la prochaine reine pût servir les intérêts de la couronne sur l'échiquier européen.

La chasse aux princesses dura deux ans, deux ans de tractations intenses avec les familles royales ou princières européennes pourvues de filles à marier. Les princesses disponibles ne manquaient pas ; toutefois des intérêts politiques considérables étaient en jeu, et le sort des deux premières épouses du roi compliquait la tâche des envoyés royaux. L'Europe était un terrain miné. Pour éviter l'isolement de l'Angleterre dans le jeu politique européen, il fallait à tout prix contrarier une alliance étroite entre la France et l'empereur ; contrarier également une réconciliation du pape avec Charles Quint, laquelle risquerait d'amener le Saint-Siège à retourner les puissances catholiques contre l'Angleterre schismatique, sinon hérétique. Neuf candidates sérieuses furent retenues ; sept furent brièvement prises en considération ; et cinq eurent le privilège d'avoir leur portrait exécuté par Hans Holbein le Jeune.

Il y avait Marguerite, fille de François Ier, âgée de 15 ans. Sans rechercher l'amitié de Henry, François voulait tout au moins s'assurer de sa neutralité ; l'union s'avérait possible. Il y avait aussi la fille du duc de Guise, une veuve dont les formes avantageuses avaient été vantées par l'ambassadeur anglais. C'était apparemment la favorite de Henry. Mais les tractations n'aboutirent pas. Lorsque l'envoyé du roi se rendit auprès de Marie de Guise pour concrétiser le projet d'union, il apprit que la belle avait déjà convolé avec le roi des Écossais James V. Henry n'en prit pas ombrage parce qu'il avait déjà commencé à prospecter ailleurs. Il n'avait d'yeux maintenant que pour Christine, deuxième fille du roi du Danemark, Christian II, et nièce de l'empereur. Elle avait épousé à 13 ans François Sforza, duc de Milan, puis s'était retrouvée veuve à 16. Seulement, Henry ne voulant épouser qu'une femme qui lui plût physi**quement,** mission fut confiée au peintre Holbein de faire le portrait de l'élue. Le temps pressait : en six jours, Holbein réussit l'exploit, pour l'époque, de se rendre auprès de la jeune femme, d'en exécuter le portrait et de revenir auprès de Henry. Le roi était aux anges. Il riait, chantait, dansait à nouveau, ayant retrouvé sa jeunesse. Et il clamait à qui voulait l'entendre qu'il était « courtisé de tous côtés », ce qui était parfaitement exagéré. Bientôt, il fut question d'un double mariage : celui de Henry avec la duchesse de Milan et celui de Mary Tudor avec le frère du roi du Portugal. Reste que pour prix de ce double mariage, Henry VIII demandait que Charles Quint inclût l'Angleterre dans le traité de paix avec la France et refusât de se joindre au concile de la chrétienté organisé par le pape. Il existait d'autres pierres d'achoppement : Mary était une princesse illégitime selon la loi anglaise et, pis encore, la duchesse de Milan, nièce de Charles, était également la petite-nièce de Catherine d'Aragon. On ne pouvait risquer une nouvelle union entachée du stigmate de la consanguinité. S'il fallait une dispense, à qui la demander ? Au pape ? Pour Henry, il n'en était pas question, ni non plus, pour Charles Quint, d'accepter une dispense de l'Église d'Angleterre. Enfin, la jeune duchesse se montrait très réticente : elle tenait trop à sa tête, disait-elle. Elle n'ignorait pas non plus que des bruits couraient sur la mort de Catherine d'Aragon. Avait-elle été empoisonnée ? La rumeur est sûrement fausse, mais, une fois lancée, fut difficile à arrêter. Les mois passèrent et les marchandages matrimoniaux se poursuivirent. Il y avait aussi sur le marché la troisième fille du duc de Guise, laquelle était très belle, disait-on. Mais Renée s'apprêtait à prendre le voile. Henry eut alors l'idée douteuse de faire venir en carrosse son lot de princesses à Calais où il pourrait les voir et choisir « sur pied ». François Ier, choqué, lui fit savoir qu'il n'était pas dans les usages français de passer en revue des princesses comme des chevaux.

Anne de Clèves

Enfin, Henry crut tenir la perle rare : Anne de Clèves. L'idée était de Thomas Cromwell, qui voyait un grand intérêt politique dans le mariage de Henry avec une princesse de Clèves. Le duché était de taille modeste, mais, situé entre les Pays-Bas de Charles Quint et les territoires des princes luthériens, il était une épine dans la chair de l'empereur. L'Angleterre, par cette alliance avec le duc de Clèves, pourrait jouer un rôle important dans l'équilibre des puissances européennes. La bonne nouvelle était que le duc de Saxe approuvait l'union. Néanmoins, Henry, maintenant, hésitait entre Anne et une de ses sœurs, Amélie. Il voulut avoir un portrait des deux princesses avant de se décider. Holbein fit aussitôt diligence. Le portrait d'Anne révélait une jolie jeune femme de grande prestance, et, en octobre 1539, le traité de mariage fut conclu. Henry était si impatient de voir sa belle, que les vents contraires avaient retardée, qu'il se rendit « à la dérobée » jusqu'à Rochester pour jeter un regard sur elle dès son arrivée en Angleterre. Ce fut un désastre. Au moment où il jeta les yeux sur Anne, Henry VIII comprit qu'il avait fait une erreur. « À ce qu'on peut juger, rapporte Charles de Marillac, le nouvel ambassadeur de France, la princesse est d'âge d'environ trente ans, de stature de corps haute et grêle, de beauté moyenne et de contenance fort assurée. » On la disait intelligente, mais elle ne parlait qu'allemand et ne goûtait pas la musique.

Le 6 janvier 1640 eut lieu le mariage ; malgré sa déception, Henry vint la visiter le soir des noces. Mais l'ampleur de la désillusion, après l'excitation de l'attente, fut telle qu'il ne réussit jamais à l'honorer. Les jours suivants, le phénomène se reproduisit. Henry, furieux, fit porter à la malheureuse Anne de Clèves la responsabilité de ses défaillances. Il la traita avec mépris, la qualifiant de « jument des Flandres », et gémit sur ses seins flétris. L'affaire était embarrassante et les défaillances de Henry rendaient toute conception impossible. Cromwell était au courant du manque d'attrait de la princesse, mais il était si anxieux que le mariage aboutît qu'il fit en sorte que nul n'évoquât la question. Cromwell se désolait au moins autant que le roi, d'autant qu'il comprit vite que Henry ne lui pardonnerait jamais l'échec de son quatrième mariage.

La question était : comment sortir le roi de ce mauvais pas ? L'annulation pour « non-consommation » du mariage était plutôt embarrassante pour Henry. On pouvait aussi demander l'annulation pour « invalidité », du fait que la princesse de Clèves avait été fiancée avec le duc de Lorraine des années plus tôt. Cette solution sembla la meilleure ; on fit croire que la promesse de mariage avait été transformée en engagement définitif, et la pauvre princesse de Clèves se retrouva deux fois mariée et toujours vierge. La Convocation du clergé et le Parlement ratifièrent avec grâce l'annulation du mariage. Anne accepta le compromis, moyennant une rente confortable.

La chute de Cromwell

L'échec du quatrième mariage du roi porta-t-il un coup fatal à Thomas Cromwell, comme on l'a souvent dit ? Si c'est le cas, l'effet ne fut pas immédiat puisque Cromwell garda sa fonction de *Lord Privy Seal*, et demeura proche du roi. Il faut dire que le puissant ministre ne manquait pas d'ennemis à la cour, à commencer par le clan Gardiner-Norfolk. En politique étrangère, le duc et l'évêque tiraient le roi dans une autre direction que celle souhaitée par Cromwell pour l'Angleterre. Il ne faut pas oublier que le ballet matrimonial du roi fut dansé sur fond d'intrigues diplomatiques et de guerre froide ; et on retrouve, dans les rôles principaux : le pape, François Ier et Charles Quint. Le danger que représentait pour l'Angleterre la réconciliation entre la France, le Saint-Siège et l'empereur hanta toujours Cromwell. C'est pourquoi la grande scène de la réconciliation entre Charles Quint et François Ier, à Aigues-Mortes, en juillet 1538, qui faisait suite à la trêve de dix ans signée devant le pape à Nice, alimenta ses pires craintes. Quand deux souverains se réconcilient et s'unissent, c'est généralement contre un troisième. Pour parer à toute éventualité, Cromwell s'occupa immédiatement de restaurer les défenses de l'Angleterre. Si l'on en croit Marillac, Henry VIII était persuadé que le roi de France, l'empereur et le pape voulaient lui faire la guerre et le chasser du royaume : « En passant par Douvres, écrit l'ambassadeur, j'ai vu nouveaux remparts et boulevards dans le roc où la mer bat [...] et bien garnis de grosse et menue artillerie... » Londres était sur le pied de guerre ; partout, dans le pays, on enrôlait « les sujets du roy qui peuvent porter armes ». Le roi lui-même partit inspecter les défenses côtières et la construction des fortifications puis visita sa flotte à Portsmouth.

La politique menée par Cromwell depuis quelques années tendait vers une entente avec les ennemis de Charles Quint, les princes luthériens. Depuis 1535, il poussait même le roi à rejoindre la ligue de Smalkade, formée en 1531 par les villes libres et les princes luthériens. En fait, la politique de Cromwell avait un double objectif : d'une part il espérait obtenir une entente politique et commerciale avec Charles Quint dans le but de poursuivre le commerce avec les Pays-Bas, indispensable à l'activité économique de l'Angleterre ; d'autre part, il souhaitait un rapprochement religieux avec les luthériens et les évangéliques allemands. C'était faire de la haute voltige d'autant que Henry, contrairement à Cromwell, était plus instinctif et passionné que subtil et calculateur. En cette période troublée, le roi semble s'être montré hésitant : avant de mettre son poids dans la balance, il regarda de quel côté penchait l'opinion publique. L'alliance avec les princes luthériens échoua pour un certain nombre de raisons, dont la première fut que les membres de la ligue de Smalkade demandèrent à Henry d'accepter la confession d'Augsbourg comme fondement de la réforme anglaise. Henry trouva le prix excessif. Il répondit qu'il était lui-même « versé » dans les Écritures, que les bons théologiens ne manquaient pas dans le royaume et qu'il pouvait fort bien établir l'Église anglaise sur des bases proprement évangéliques, sans demander de l'aide à l'étranger. Une autre raison qui peut expliquer l'échec de l'alliance avec les membres de la Smalkade est que l'Angleterre n'avait pas les ressources financières nécessaires pour soutenir les princes allemands.

Le conservatisme religieux du roi apparaît clairement dans les Dix Articles que le Parlement adopta en 1536. Ces Articles, premier pas vers l'établissement d'une doctrine de l'Église d'Angleterre, étaient suffisamment flous et ambigus pour être interprétés dans un sens « protestant » comme dans un sens « catholique ». Certes, trois sacrements seulement étaient retenus, mais les quatre autres n'étaient pas directement rejetés et l'année suivante, dans l'*Institution d'un chrétien,* appelé généralement le *Bishops' Book* (le *Livre des évêques*), on retrouvait les sept sacrements et, à côté du symbole des Apôtres, des Dix Commandements et du Notre Père, l'*Ave Maria*. Enfin, les Six Articles de 1539 renforçaient la législation sur les hérésies, condamnant tous les hérétiques au bûcher. Les Six Articles, vite surnommés le « Chat à six queues » du nom d'un fouet aux lanières acérées, provoquèrent la consternation dans l'Europe protestante. Melanchthon, horrifié, s'adressa au roi dans une épître « contre l'acte cruel des Six Articles » :

> Ce n'est pas une petite offense que d'établir l'idolâtrie, les erreurs, la cruauté, les désirs malsains de l'Antéchrist. Si l'évêque de Rome convoquait maintenant un concile, quels autres articles imaginerait-il pour les publier à la face du monde, mais ceux-là mêmes que vos évêques ici ont établis ?

Henry prit également la décision d'interdire le mariage des prêtres. Un certain nombre avait déjà pris femme et les malheureuses épouses furent répudiées sans appel. Cranmer, qui s'était précipité dans le mariage au cours d'un voyage en Allemagne, en 1532, fut contraint de se séparer de sa femme Margaret et de ses enfants, qu'il fit partir discrètement pour l'« étranger ». Si Henry cherchait à tenir en équilibre le fléau de la balance, il avait truqué visiblement les poids. Mais à ce prix, il évitait une croisade dirigée contre lui par les puissances catholiques réconciliées. Schismatique, l'Angleterre l'était sans doute ; hérétique, sûrement pas et Henry tenait à le faire savoir. C'est pourquoi il célébra le Vendredi saint de 1539 et le jour de l'Ascension de 1540 avec toute la pompe de la tradition romaine.

La disgrâce de Thomas Cromwell vint brutalement et il est difficile d'en connaître exactement les motifs. De toute évidence, le duc de Norfolk avait tout intérêt à le voir disparaître. Lorsqu'au printemps de l'année 1540, Cromwell obtint le titre de comte d'Essex, l'aversion de Norfolk se transforma en haine. Il guetta le moindre faux pas du puissant ministre qui continuait à œuvrer à une alliance avec les luthériens allemands. Or ceux-ci commirent deux erreurs. Ils refusèrent d'envoyer une délégation en Angleterre pour discuter théologie avec le roi, alors que celui-ci bouillait d'impatience de rencontrer le grand Melanchthon. Ensuite, dans une lettre aujourd'hui disparue, le duc saxon Johannes Frédéric reprocha au roi le peu de zèle qu'il avait mis à promouvoir la cause évangélique dans le royaume. Henry VIII était furieux.

Le samedi 10 juin, Thomas Cromwell fut arrêté en plein conseil et emmené à la Tour. Les motifs évoqués pour sa condamnation étaient : trahison et propagation de l'hérésie. Il ne put jamais présenter sa défense et aucune des accusations portées contre lui ne fut prouvée. Il fut décapité le 28 juillet 1540. Deux jours plus tard, marquant le début de son « règne personnel », Henry VIII envoya au bûcher Robert Barnes, John Garret et William Jerome, trois incontestables luthériens ; et ce même jour furent pendus et étripés trois défenseurs de l'Église romaine accusés de trahison au profit du pape.

7

Seul maître à bord

La cinquième épouse

Désormais, Henry semblait résolu à gouverner seul. Le temps des conseillers omniprésents était passé. Cromwell avait été un remarquable administrateur et un conseiller fidèle ; le roi le regretta. Huit mois après son exécution, l'ambassadeur de France Marillac nota que le roi était d'humeur sombre et mauvaise ; il s'en était pris à ses conseillers, leur reprochant d'avoir organisé la chute de Cromwell par de fausses accusations, criant bien haut qu'il n'avait jamais eu un serviteur comme lui. Comme le dit très justement l'historien J. J. Scarisbrick, le roi, en vieillissant, « se montrait vulnérable et inconstant lorsqu'il devait au contraire faire preuve de mesure et de fermeté ».

Le jour même de l'exécution de Cromwell, Henry se maria pour la cinquième fois. L'élue était Catherine Howard, encore une nièce de Norfolk. Sensuelle, provocante, elle avait tout pour plaire à l'homme à la virilité défaillante qu'était devenu le roi. Le duc de Norfolk avait bien évidemment vu d'un œil complice et satisfait l'attirance que Henry avait pour sa nièce. Catherine Howard faisait partie des dames d'honneur d'Anne de Clèves. Sitôt qu'il la vit, le roi se sentit tout émoustillé. La jeune fille, âgée de dix-neuf ans, était petite, un peu ronde, vive et délurée. L'exacte opposée de la reine Anne. Au printemps de 1540, cadeaux et faveurs tombèrent dans le giron de Catherine. Les membres de la famille Howard, bien qu'ils se détestassent tous cordialement, s'unirent pour vanter ses mérites auprès du roi. Devant Henry, époux insatisfait d'Anne de Clèves, ils firent miroiter les avantages de Catherine, le tenant aussi haletant devant les appas de la jeune fille qu'un taureau devant un chiffon rouge. Dès que l'invalidité du mariage du roi avec Anne de Clèves eut été prononcée, on raconte que Gardiner et Norfolk, ainsi que quelques autres membres du conseil, allèrent trouver le roi et firent appel à son « noble cœur » pour qu'il prît sans tarder une nouvelle épouse « pour le bien de son royaume ».

Ce cinquième mariage transforma provisoirement le roi. Il quitta le domaine de la théologie pour la volupté du lit conjugal. La cour retrouva sa gaieté : le roi dansait, banquetait et s'amusait. Henry VIII fut-il un don Juan ? Un obsédé du sexe ? Un homme gouverné par sa sensualité ? Sûrement pas. Il n'était qu'un homme viril, obsédé non par le sexe mais par sa succession ; un monarque inquiet de laisser derrière lui le chaos, faute d'héritier ; un roi David qui avait eu en Anne Boleyn sa Bethsabée et qui, comme le vieux roi hébreu à la fin de sa vie, avait trouvé en Catherine Howard une Shounamite pour le « réchauffer », sauf que Catherine, contrairement à la jeune fille amenée dans le lit du roi David, n'était pas vierge. Mais elle le réchauffa bel et bien et Henry, pour la contenter, se mit au régime. Marillac raconte :

> [Le roi] a pris une nouvelle règle de vivre qui est de soi lever bien matin, comme entre cinq et six, d'ouïr la messe à sept et après monter à cheval jusqu'à l'heure de dîner qui est de dix heures, me disant au surplus ledit seigneur qu'il se trouve beaucoup mieux d'ainsi être aux champs et changer souvent de lieu que quand il se tenait résident tout l'hiver en ses maisons qu'il a aux portes de cette ville.

Seulement ce régime fut insuffisant pour lui rendre ses vingt ans. Son ulcère à la jambe le faisait terriblement souffrir. Il se sépara un temps de Catherine, se retirant à Hampton Court, fatigué et déprimé. Sans doute se tourna-t-il à nouveau vers la théologie, comme il le fit tout au long de sa vie. Un seul ouvrage porte sa signature, le traité de 1521 affirmant la validité des sept sacrements : *Assertio Septem Sacramentorum*. Mais on retrouva quantité de manuscrits qui montraient son travail de théologien. Il avait de plus annoté et corrigé plusieurs ouvrages de théologie. Comme il le faisait en musique, il voulait améliorer les œuvres des autres. Quand il allait trop loin, Cranmer intervenait. Ainsi, lorsqu'il travailla à la révision du *Livre des évêques* de 1537, il voulut s'attaquer au Décalogue afin d'atténuer les injonctions du deuxième commandement : « Tu ne te feras pas d'idoles ni aucune image… » Cranmer l'en dissuada en lui faisant remarquer qu'il ne pouvait apporter des retouches à la Parole de Dieu. Il voulut aussi modifier la demande du chrétien adressée à Dieu dans le Notre Père : « Ne nous induis pas en tentation ». Cranmer l'en empêcha. Même s'il trouvait absurde que Dieu pût induire le croyant en tentation, le roi ne devait pas modifier « un seul mot de l'Écriture ». Henry lisait et relisait la Bible, et les notes qu'il laissa montrent son attachement pour la figure du roi David ; lui-même lisait les Psaumes comme des commentaires de sa propre mission divine.

Henry voulut également réviser le texte du serment du Couronnement afin de pouvoir mettre en avant, dans l'avenir, l'autorité du roi d'Angleterre sur les affaires ecclésiastiques, employant le terme de « juridiction impériale ». Le Parlement avait reconnu en 1533 les « droits impériaux » du roi d'Angleterre sur toutes les institutions du Royaume. Le concept de souveraineté nationale était d'ailleurs l'essence de la philosophie politique de Thomas Cromwell qui avait écrit :

> Ce royaume d'Angleterre est un Empire, et comme tel a été accepté dans le monde, gouverné par un Chef Suprême et Roi ayant la dignité et l'état royal de la couronne impériale. Il règne, en matière de Spiritualité et de Temporalité, sur un corps politique formé d'individus de toutes sortes et catégories qui doivent lui vouer, après Dieu, une obéissance humble et naturelle.

La réforme henricienne

Empereur en son Parlement, tel devait apparaître désormais Henry VIII. Il n'était pas le premier des rois d'Angleterre à avoir revendiqué le titre d'empereur.

Les rois Edward I, Richard II et Henry V l'avaient porté, mais le titre n'avait pas alors la même signification. Ces rois étaient empereurs parce qu'ils régnaient sur plus d'un royaume. Edward I revendiqua le titre de roi d'Écosse et Henry V celui de roi de France. Pour Cromwell, et pour Henry VIII, le mot empire signifiait que l'Angleterre était une unité politique autonome, indépendante de « tout pouvoir étranger » dans ses limites territoriales, gouverné par un Chef Suprême en matière spirituelle et un roi en matière temporelle, qui possédait, par la grâce de Dieu, tout pouvoir, prééminence, autorité, prérogative pour rendre la justice à tous ses sujets. Le « corps politique », pour reprendre l'expression utilisée par Cromwell, était composé de laïcs et des membres du clergé. Henry pouvant rendre la justice dans le domaine spirituel, il était virtuellement pape en son royaume.

Nous revenons au problème de la religion dans l'Angleterre de Henry VIII : que représentait pour le menu peuple la réforme henricienne ? Que le roi et non le pape fût maintenant le chef de l'Église ne devait guère troubler le petit fermier qui travaillait à ses champs. Même si, comme l'avait souhaité William Tyndale, il lisait à l'occasion la Bible, ou si on la lui lisait, puisque à présent, elle devait figurer, en anglais, dans toutes les églises, sa vie se déroulait toujours au rythme immuable des saisons, ponctuée par les fêtes religieuses qui venaient interrompre le quotidien laborieux. Mais la réforme henricienne mit un terme aux pèlerinages et en particulier à celui de Canterbury auprès de la châsse de Thomas Becket, assassiné au sein même de la cathédrale par quatre chevaliers anglo-normands parce qu'il s'était opposé au roi Henry II qui avait voulu faire dépendre l'Église du pouvoir royal. Si en Écosse, et surtout en Irlande, une assez grande confusion régnait dans l'Église, due à la fragmentation politique, l'Angleterre faisait figure de bonne élève dans la chrétienté. Son administration était en ordre et les scandales y étaient peu ou prou inexistants. Néanmoins, en 1512, John Colet, le doyen de Saint-Paul, avait dénoncé l'état de l'Église, s'indignant de la simonie et de l'absentéisme, s'étonnant de voir des prêtres porter les armes, fréquenter les tavernes et entretenir des relations coupables avec des femmes. Nous avons vu que c'est de la « classe moyenne » que s'élevèrent les voix réclamant le changement, et ce changement passait par une dénonciation de l'Église catholique romaine et plus particulièrement du haut clergé et des moines. Pour des pamphlétaires comme Simon Fish, réformé bon teint, les uns et les autres étaient comme des « loups » dévorant le peuple. Les mécontentements se cristallisaient sur le train de vie des premiers et les revenus que les seconds tiraient de leurs domaines, sans rien faire. Il y avait dans le royaume moins d'un millier de monastères, et certains n'étaient peuplés que de quelques moines, mais ils détenaient le tiers au moins des terres de l'Angleterre et du pays de Galles et vivaient comme des princes. Si on ajoute à ces richesses les revenus du clergé séculier, on constate que les rentrées annuelles d'argent de l'Église étaient beaucoup plus importantes en 1535 que celles de Henry VIII.

Dans une supplique adressée au roi « au nom des mendiants », Fish, depuis Anvers, cria son indignation, fustigeant leur paresse, invitant le roi à sévir :

> Attachez ces sains et paresseux voleurs à des charrues, qu'ils soient fouettés tout nus dans chaque ville-marché jusqu'à en venir travailler, que leur mendicité malvenue ne s'empare plus des aumônes, que les bons chrétiens nous donneraient à nous, les misérables, les impotents, les malheureux.

Fish était un excessif. Mais son opinion était partagée par un très grand nombre d'Anglais. Il fut donc facile au roi de procéder à la suppression des ordres religieux. Sur les domaines royaux de Richmond et de Greenwich, deux monastères témoignaient de l'intense spiritualité des chrétiens du XIVᵉ siècle, et leurs cloches avaient résonné familièrement aux oreilles de Henry, l'invitant à la dévotion. Mais les rapports du roi avec l'Église, sinon avec Dieu, avaient changé, et les cloches faisaient maintenant entendre un son hostile, car c'est parmi les moines et les nonnes qu'il rencontra la plus grande opposition à ses réformes. Comme les autres, l'aristocratique couvent de Syon, situé sur son domaine de Richmond, dut fermer ses portes. Ainsi disparut l'Église médiévale. Dans l'Angleterre des Tudors, il n'y avait plus grande place pour la contemplation. Ce qui est certain, c'est que la réforme henricienne et la création de la Suprématie Royale en matière spirituelle transformèrent l'Église, en Angleterre, en Église nationale d'Angleterre.

La couronne profita largement des richesses accumulées par les monastères. La spoliation donna au pays une dynamique nouvelle. De 1536 à 1554, la couronne réalisa un gain de plus de 1 100 000 livres. Elle vendit une partie des biens saisis à de riches acheteurs séculiers, réalisant de gros profits. La suppression des monastères s'accompagna parfois d'une destruction des reliques. Mais dans l'ensemble, tout se passa dans l'ordre. Les moines qui avaient été consacrés pouvaient rejoindre le clergé ; sinon, comme les nonnes, ils devaient vivre maintenant « dans le monde », et travailler pour gagner leur vie.

Tandis que l'Église henricienne se mettait en place, rumeurs, grondements et cliquetis d'armes se firent entendre. Les années 1540 furent une fois encore un temps de crises internationales et matrimoniales. Si le roi avait retrouvé sa jeunesse auprès de Catherine Howard, la jeune femme, apparemment, voulait plus et mieux. Elle retourna à ses amours passées, distribuant ses faveurs à ses anciens amants et, dit-on, à des nouveaux. Cranmer veillait. Il n'eut guère de mal à découvrir les preuves de l'infidélité de la reine, qui manquait totalement de discrétion. À l'automne de 1541 le Conseil, ayant obtenu la preuve de l'infidélité de Catherine, en fit part au roi. Bouleversé, Henry déclara haut et clair qu'il lui couperait le cou de sa propre épée. Mais il laissa le bourreau faire son œuvre. Accusée de « trahison », Catherine Howard fut exécutée en février 1542 en compagnie de sa complice, lady Rochford, belle-sœur d'Anne Boleyn. Auparavant avaient été exécutés deux de ses amants. Une fois encore, le duc de Norfolk parvint à se sortir de ce mauvais pas en allant « prendre l'air » loin du procès de sa nièce. Henry sombra dans la dépression et erra de château en château. L'ambassadeur de France fait de lui un portrait pitoyable :

> Au regard de la personne du roi, Sire, j'estime par la disposition qu'on voit en lui qu'il incline plus d'entretenir ses états que faire preuve de la fortune pour les accroître. Car il est devenu bien fort gros, et s'appesantit tous les jours, retirant fort selon ce qu'on en trouve par écrit au roi Édouard, son aïeul maternel, qui est sur ses jours d'aimer tout repos et fuir le travail. Le dit seigneur, au demeurant, semble être devenu fort vieil et gris depuis le malheur en cette dernière reine, ne voulant encore ouïr parler d'en prendre une autre, bien qu'il se trouve ordinairement en compagne de dames et que ses ministres, parfois, le supplient et instiguent à le marier.

Le roi s'en va-t-en-guerre

La guerre arriva fort à point pour le distraire de ses déboires conjugaux. Il commença par célébrer son retour à la santé en donnant un magnifique banquet, où il apparut entouré de vingt-six jeunes femmes, et courageusement, malgré la douleur incessante qu'il ressentait dans les jambes, il partit pour les territoires du Nord. Depuis quelque temps déjà, les relations entre l'Angleterre et l'Écosse s'étaient détériorées et les incidents multipliés à la frontière. Henry voulut rencontrer le roi James mais l'entrevue n'eut pas lieu : le roi d'Angleterre se rendit bien à York, lieu du rendez-vous, mais il attendit en vain le roi écossais son neveu. Celui-ci aurait craint un piège pour le faire prisonnier. Il est vrai que Henry était arrivé à la tête de 5 000 chevaux, un millier de soldats et une forte artillerie. Henry dépêcha Norfolk dans le Nord. Celui-ci lança une attaque massive en territoire écossais. Incapables de s'unir, les Écossais furent mis en déroute dans les marécages de Solway Moss. Il y eut peu de morts, mais deux comtes et de nombreux lords et gentilshommes furent faits prisonniers. Le roi James, humilié et malade, mourut le 14 décembre 1542 à l'âge de 31 ans. L'héritière du trône, Mary Stuart, que le roi avait eue avec sa troisième épouse, Marie de Guise, n'avait que quelques jours. Henry VIII tira habilement parti des zizanies habituelles entre *lairds* pour former avec les prisonniers faits à Solway Moss le noyau d'un parti anglais en Écosse. L'Écosse se scinda bientôt en trois partis. Selon un contemporain, le premier était celui des « hérétiques et des lords anglais », c'est-à-dire celui de James Hamilton, comte d'Arran ; le deuxième regroupait les « scribes et les pharisiens », c'est-à-dire les éléments pro-français avec à leur tête le comte de Lennox ; le troisième, neutre, se tenait aux aguets, observant d'où soufflait le vent avant de rejoindre l'un ou l'autre camp.

La balance pencha un moment du côté pro-anglais. Hamilton fut proclamé gouverneur d'Écosse. Il se montra accommodant avec Henry. Un traité fut conclu, au mois de juillet 1543. L'Écosse s'engageait à porter secours à Henry en cas d'attaque ; la petite Mary Stuart fut fiancée au prince Edward, et il fut convenu que la reine d'Écosse serait amenée « au roi ou au prince » lorsqu'elle aurait 10 ans. Les Écossais promirent de remettre à Henry six otages en gage de l'observation des articles du traité, « dont deux comtes ou leurs fils aînés, et le reste, des barons qui devront changer tous les six mois ».

Mais Henry, plein de zèle pour la religion, voulut imposer sa réforme à son voisin : diffusion de la Bible en vernaculaire, destruction des monastères, contrôle du clergé. Il voulut même que l'Écosse adoptât la confession de foi qu'il concoctait pour l'Église anglaise, insistant pour que son livre, le *King's Book*, sur lequel il travaillait depuis quelque temps, fût publié simultanément en Angleterre et en Écosse. Cette fois, le nationalisme écossais fut plus fort que les dissensions claniques. Les combats reprirent. Édimbourg fut brûlé et le parti pro-français et pro-catholique revint au pouvoir.

Sitôt le conflit écossais réglé, Henry, l'humeur toujours aussi belliqueuse, partit guerroyer en France. Entre les Valois et les Habsbourgs, les hostilités avaient repris. Depuis des mois, François Ier avait tenté de mettre Henry VIII de son côté en proposant de marier son fils à Mary Tudor, la fille de Catherine d'Aragon. Mais Henry refusait de considérer Mary autrement que comme une fille illégitime et les négociations traînèrent. En secret, parallèlement, Henry avait entamé des pourparlers avec Charles Quint. La brouille entre François Ier et Charles Quint redonna des couleurs à l'Angleterre sur le plan international. Henry VIII lança ses forces contre les Français. Avec Norfolk et Suffolk, il traversa la Manche. Sous les assauts anglais, Boulogne tomba le 18 septembre 1544. Henry VIII avait toujours aimé jouer les rois chevaliers. Seulement, très fatigué, il dut être porté en litière et finalement rentra en Angleterre, malade. Durant son absence les choses tournèrent mal pour ses chefs de guerre : contre-attaqués par les forces du deuxième fils de

François Ier, le futur Henri II, Norfolk et Suffolk abandonnèrent Boulogne pour aller défendre Calais. Henry dut entamer des négociations avec la France en octobre. Une fois encore, il exigea trop, voulant non seulement que soit stipulé dans le traité de paix le maintien de Boulogne aux Anglais, mais encore la renonciation à l'alliance franco-écossaise. Avec Charles Quint, en principe son allié, les difficultés causées par son statut de Chef suprême de l'Église s'avérèrent insurmontables. L'empereur, que l'alliance avec la schismatique Angleterre embarrassait déjà, se refusa à toute mention de ce titre sur le traité, de même qu'il refusa de s'engager à défendre l'Angleterre contre une attaque pour raison « spirituelle » – autrement dit, si le pape organisait une croisade contre l'Angleterre schismatique. Ces scrupules irritèrent d'autant plus Henry que, dans le même temps, François Ier avait fait alliance avec le Turc infidèle. Il ne se priva pas de le faire remarquer à Charles. Henry avait raison d'être inquiet car François Ier demanda au pape Paul III de convoquer un concile pour mettre Henry VIII au ban de la chrétienté. Les affaires européennes étaient complexes et confuses. À peine nouées, les alliances se déliaient.

En 1545, ce fut au tour du roi de France d'attaquer les Anglais. François Ier mena à l'été une triple offensive : attaque sur Boulogne, descente sur les côtes méridionales de l'Angleterre ; intervention en Écosse. Les navires de la « Grande Armée de la mer » partirent du Havre de Grâce, de la Fosse d'Eure, d'Honfleur, de Harfleur et de Dieppe et mirent le cap sur l'île de Wight et sur Portsmouth. Mais les Anglais s'étaient préparés : Norfolk, Suffolk et le comte d'Arundel avaient réparti leurs forces dans le Kent, l'Essex et dans l'Ouest cependant que le jeune comte de Hertford attendait de pied ferme les Écossais au Nord. Henry avait ordonné des processions patriotiques et religieuses dans tout le pays pour obtenir de Dieu la victoire. Et la victoire, il l'obtint. Les vents soufflèrent pour le roi d'Angleterre, et la flotte française, mal commandée, dut se retirer sans gloire. Henry perdit néanmoins son beau navire, le *Mary Rose*, qui se renversa au cours d'une manœuvre.

La paix fut finalement conclue à Ardres le 8 juin 1546. La France s'engagea à payer en huit ans à l'Angleterre près de 800 000 écus d'or, et il fut convenu qu'elle ne pourrait recouvrer Boulogne qu'après acquittement de cette dette. Les Anglais s'engagèrent à ne pas attaquer les Écossais les premiers. Lorsque le roi Henry mourut, les Français n'avaient encore payé que la moitié de leur dette ; et bientôt, ils reconquirent Boulogne par les armes.

8

Le crépuscule d'un règne

La sixième épouse

Entre deux opérations militaires, Henry s'était remarié. Cette fois, il ne chercha pas une belle et jeune princesse pour lui donner un héritier, mais une douce et charitable épouse pour prendre soin de lui et soulager ses souffrances. Si le roi s'était toujours conduit avec bravoure à la guerre et dans les tournois, il avait montré sa peur des maladies, fuyant précipitamment Londres chaque fois qu'y sévissait la peste ou la suette, ce mal récurrent du siècle qui provoquait de violents accès de fièvre. Les dernières années de sa vie furent un temps de maladie et de souffrance. Il avait des ulcères aux deux jambes, tandis que son visage bouffi et son corps « accablé de graisse » témoignaient de ses excès de table. Il ne restait plus grand-chose du bel athlète, du jouteur intrépide, du danseur infatigable du début du règne.

L'élue, Catherine Parr, était âgée de 31 ans et deux fois veuve. Elle était la fille de sir Thomas Parr et de Maud Green, qui avait été dame d'honneur de la reine Catherine d'Aragon. Son deuxième mari, John Neville, troisième baron Latimer de Snape Castle, dans le Yorkshire, avait une vingtaine d'années de plus qu'elle. Latimer disparu, elle aurait voulu épouser Thomas Seymour, le frère de Jane, séduisant coureur de jupons, mais le roi ayant jeté son dévolu sur elle, Catherine renonça à l'homme qu'elle aimait. Le 12 juillet 1543, Henry VIII et Catherine Parr furent mariés à Hampton Court au cours d'une cérémonie toute simple à laquelle assistaient une vingtaine de personnes seulement.

Catherine avait reçu la meilleure éducation que les familles nobles souhaitaient alors donner à leurs enfants. La jeune femme était érudite, et elle avait une soif d'apprendre qui la rendit ouverte aux idées nouvelles. Nourrie des valeurs humanistes et sincèrement pieuse, elle publia en 1545 un livre de prières « pour élever l'âme vers les méditations spirituelles » (*Prayers stirring the mind unto heavenly meditations*) qui est considéré comme l'un des plus anciens ouvrages de dévotion protestants. Elle écrivit aussi une autobiographie spirituelle, « Lamentation d'un pécheur » (*Lamentation of a Sinner*), qui fut publiée sous le règne d'Elizabeth. L'ouvrage témoigne de son goût pour les idéaux de la Réforme. Comme Tyndale et d'autres réformateurs, elle souligne l'importance de la lecture de la Parole de Dieu et plaide pour une production et une diffusion des Écritures en anglais. En décembre 1543, elle eut à cœur de réunir ensemble, pour la première fois, les trois enfants du roi, et les guida, dit-on, dans leurs lectures – ainsi, elle conseilla à Elizabeth de lire le *Miroir de l'âme pécheresse* de Marguerite de Navarre, et à Mary de traduire les *Paraphrases* du Nouveau Testament d'Érasme. Mais il est évident qu'elle ne joua qu'un rôle mineur dans l'éducation des deux plus jeunes enfants de Henry, et aucun dans celle de Mary.

À la cour, Catherine organisa des études bibliques auxquelles participaient ses dames d'honneur. Elle aimait discuter théologie avec Henry, et elle l'entraîna vers une réforme plus évangélique de son Église, pour autant que le roi fût constant dans ses intentions. Le fait que Stephen Gardiner, et non Cranmer, présida à son mariage montre qu'à ce moment-là, le roi penchait vers un catholicisme conservateur. Mais moins d'un an plus tard, Cranmer revenait dans les bonnes grâces du roi et Gardiner était tenu éloigné.

Une manière de faire comprendre à un favori sa disgrâce ou, du moins, la défaveur du roi, était de le faire attendre « au milieu des laquais ». Gardiner connut cette humiliation. Henry VIII mit toute sa volonté, dans les dernières années de sa vie, à empêcher qu'un conseiller, ou un groupe de conseillers, pût agir sur ses décisions. Ce jeu constant de balance est à l'origine de la réputation d'inconstance, d'irrationalité que s'est acquise Henry VIII dans l'Histoire. Capricieux, le roi ? En vérité, il agit avec ses conseillers comme il avait agi avec François Ier, Charles Quint ou les princes allemands. Or au conseil, deux groupes s'affrontaient : les « conservateurs », au côté de l'évêque Gardiner, du chancelier Wriothesley et du duc de Norfolk ; et les « réformistes », menés par le duc de Suffolk, John Dudley et les frères Seymour. Henry ne tenta pas d'instaurer l'harmonie ni de favoriser franchement un camp, mais s'efforça plutôt de les neutraliser en faisant pencher le balancier tantôt vers l'orthodoxie catholique, tantôt vers la réforme évangélique. Ainsi, lorsque Norfolk et les conservateurs s'attaquèrent à Thomas Cranmer, en l'accusant d'hérésie, le roi fit venir l'archevêque de Canterbury à la nuit pour le prévenir que ses ennemis voulaient l'arrêter et lui fit cadeau de sa bague que l'archevêque devait exhiber le lendemain au Conseil pour confondre ses accusateurs. Le roi profita de l'occasion pour tancer vertement les lords présents, et en premier lieu Norfolk.

Pour faire bonne mesure, Henry sauva aussi de la mort Stephen Gardiner, dont le neveu et secrétaire avait été arrêté et exécuté pour avoir proclamé la suprématie du pape. Gardiner, qui en avait dit autant, se jeta aux pieds du roi, implorant son pardon – et le roi pardonna. Mais Gardiner ne montra aucune reconnaissance à Henry. Au contraire, il accumula les rancœurs.

Quand le roi se fait vicaire de Dieu

Les dernières années de son règne, Henry VIII sembla goûter particulièrement son rôle de vieux sage, empereur en son Parlement et Chef suprême de l'Église, distribuant les pardons et les blâmes à qui il voulait, quand il le voulait. Sentait-il venir la mort ? Au mois de décembre 1545, à la veille de Noël, Henry se rendit au Parlement pour donner son assentiment aux derniers projets de loi adoptés par les Chambres, ce qui était le rôle du chancelier, et prononça un discours-testament dans lequel il se présenta en Chef suprême du temporel et du spirituel, distribuant à tous des mauvais points pour leur comportement peu chrétien. Il remercia tout d'abord ses bons et loyaux sujets de leur générosité – ils venaient en effet, bien à contrecœur, de donner leur accord pour que les biens des *chantries* (chapellenies) dissoutes fussent remis à la Couronne. Puis il passa à l'attaque, fustigeant tant le clergé que les pairs laïcs et les membres des Communes pour leur manque de charité. Il interpella en premier les clercs, les invitant à renoncer à se qualifier les uns les autres de luthériens, hérétiques et anabaptistes, ou bien de papistes, hypocrites et pharisiens, « noms diaboliques », pointant du doigt les prédicateurs ancrés dans leur conservatisme ou conquis par les idées nouvelles, affirmant que « bien peu prêchent la vraie Parole de Dieu », semant ainsi le doute dans l'esprit des gens simples. Il leur commanda de s'amender et de montrer l'exemple. Sinon : « Moi, que Dieu a choisi pour son Vicaire et son Ministre, verrai à mettre fin à ces divisions. »

Après quoi il mena la charge contre « ceux du temporel », qui n'étaient pas non plus exempts de malice et d'envie. Il est intéressant de voir la position du roi à la fin de sa vie en ce qui concerne l'accès des laïcs à la Bible, qu'il avait autorisé sous la pression de Thomas Cromwell – on l'a vu – et restreint aux seuls gens de qualité à partir de 1543. Si Dieu a voulu que les laïcs aient accès aux Écritures dans leur propre langue, dit-il, « c'est seulement pour informer leur propre conscience et enseigner leurs enfants » et non pour discuter et juger de ce qui est vrai et de ce qui est faux. Henry était particulièrement affligé d'apprendre que « ce joyau le plus précieux, la Parole de Dieu, est maintenant, avec irrévérence, discutée, rimée, chantée et carillonnée dans toutes les auberges et tavernes du royaume… ». Le roi prononça son discours d'une voix douce et persuasive ; et, lorsqu'il plaida pour l'unité de son royaume, il était ému aux larmes. L'assemblée également, et des témoins racontent que nombreux furent ceux qui pleuraient.

Conservateurs et réformistes, laïcs et clercs, pairs du royaume et simples sujets, tous furent blâmés pour leur comportement. Mais le roi n'était-il pas le premier coupable, ne faisant deux pas dans une direction que pour en changer aussitôt, et montrant dans sa conduite passée le peu de cas qu'il faisait de la volonté des autres et, pis, de la vie humaine ? Henry VIII était certes un roi humaniste, mais fortement teinté de la brutalité, voire de la férocité, d'un prince féodal. Et depuis qu'il avait donné à ses sujets, en 1543, *The Necessary Doctrine and Erudition for Any Christian Man*, plus connu sous le nom de « Livre du roi » (*King's Book*), dans lequel il exposait ses conceptions de la foi, il se prenait pour un roi théologien appelé par Dieu. Ce qui était la foi « juste », c'est ce qu'il croyait lui-même, et il n'était pas question de laisser ses sujets écouter d'autres voix que la sienne, qu'elles vinssent de Rome, de Saxe, de Bâle ou de Genève.

Disons-le, le « Livre du roi » n'est qu'une révision de l'*Institution de l'homme chrétien*, ou *Bishops' Book*, en plus conservateur en matière de doctrine. Le roi y défend la conception catholique de l'eucharistie et les Six Articles, insistant toutefois sur les bienfaits de la prédication et dénonçant l'usage excessif des prières ou des messes pour les morts tout comme l'utilisation abusive du purgatoire par la papauté dans un but financier : le nom même de purgatoire fut déclaré suspect. L'ouvrage, bien entendu, réfutait la prépondérance du pape sur l'Église chrétienne. Mais, en homme de son temps, il refusait un monde sans hiérarchie, et la tendance égalitaire du christianisme primitif, d'évidence, lui déplaisait. Aussi bien, là où le « Livre des évêques » disait, après l'apôtre Paul, que tous les hommes, le riche et le pauvre, l'homme libre et l'esclave, étaient égaux devant Dieu, Henry avait-il écrit que l'égalité concernait « l'âme seulement ». J. J. Scarisbrick y voit l'œuvre d'un « pédant enthousiaste » et constate que les corrections royales, loin d'améliorer le texte, le rendent souvent confus, obscur, et introduisent même parfois des erreurs. Elles ont en tout cas l'avantage de montrer l'évolution de la pensée religieuse du roi, ou plutôt ses oscillations au fil des événements. On peut penser que Henry VIII était vraiment sincère dans sa recherche de la vérité, ne serait-ce que parce que le salut de son âme le préoccupait. Il est néanmoins indéniable que, malgré sa volonté de ne laisser personne peser sur ses décisions, il subissait les influences de son entourage. Or Catherine Parr, comme Anne Boleyn, lisait la Bible et penchait pour une réforme évangélique. On pouvait par conséquent s'attendre à voir le roi réviser encore sa position.

Une reine peu catholique

À partir de juillet 1543, les idées protestantes recommencèrent donc à circuler dans l'entourage de la nouvelle reine et de ses dames. Parmi les partisans d'une Église conforme au mouvement réformé du continent, on comptait un certain nombre de jeunes seigneurs dont deux, déjà membres du conseil, devaient jouer un rôle important au cours du règne d'Edward VI : Edward Seymour et John Dudley. Mais la prudence était de mise. Les chasseurs d'hérésies ne manquaient pas à la cour et la suspicion entre clans tournait à la paranoïa. L'émotion provoquée par le beau discours du roi n'avait pas duré et l'année 1546 vit les factions s'affronter ; cette fois, les manœuvres cauteleuses de Gardiner faillirent aboutir à la disgrâce de la reine.

Tout commença avec l'affaire Crome. Arrêté pour avoir prêché contre la messe puis mis à la torture, Edward Crome, qui passait pour l'enfant terrible du clergé londonien, avait « donné » des noms de sympathisants et, parmi eux, ceux de quelques dames d'honneur de la reine. Le nom de Catherine Parr circula même. Envoyé à la Tour, Crome parvint à se sortir de ce mauvais pas en déclarant, lorsqu'il fut interrogé par le roi en personne, qu'il ne croyait pas à la suprématie du pape. Henry VIII apprécia et Crome évita le bûcher. Anne Askew n'eut pas cette chance. Il est vrai qu'elle nia, Bible en main, la conception catholique de l'eucharistie. Le bourreau ayant refusé de la torturer, le chancelier Wriothesley et un autre membre du conseil, Richard Rich, activèrent eux-mêmes le chevalet. Par trois fois, ils étirèrent la malheureuse qui jamais ne donna un nom, ni abjura la doctrine protestante. Elle fut alors conduite au bûcher et périt dans les flammes en compagnie de trois autres « hérétiques ». Elle n'avait pas parlé ; néanmoins, Gardiner et ses amis avaient réuni assez de preuves sur le protestantisme de la reine pour la faire arrêter.

Prévenue, Catherine se mit au lit, se disant très malade. Une feinte ? On l'a dit. Connaissant le sort des précédentes épouses du roi, il est probable qu'elle fut saisie de panique. Henry avait apparemment écouté les accusations portées contre sa femme ; de plus, il était passablement agacé que Catherine osât l'instruire dans un domaine qu'il se réservait : la théologie. À Gardiner, il avait dit un jour après avoir reçu la visite de Catherine : « Voilà bien la nouvelle, que les femmes se prennent pour des clercs ! » Ajoutant, mi-figue, mi-raisin : « C'est bon pour moi, en mes vieux jours, d'être instruit par ma femme. » Gardiner l'aurait alors assuré qu'il était en mesure d'apporter la preuve que la reine tenait des propos hérétiques.

Voulait-il vraiment poursuivre sa sixième épouse pour hérésie ? Ou seulement lui donner une leçon ? Les faits montrent que le roi, une fois encore, se réjouit de montrer qu'il était le maître absolu en matière spirituelle comme en matière politique, et Gardiner et sa clique se félicitèrent trop vite. Catherine se rendit dans la chambre de Henry et, en femme avisée qu'elle était, joua la carte de l'humilité et de la repentance. Le roi n'attendait que cela. Le discours de la reine, reproduit par John Foxe dans son martyrologe, ne pouvait que flatter la vanité de Henry. Elle reconnut que « les femmes, depuis la première création, avaient été faites inférieures et sujettes à l'homme », et que les hommes avaient été faits pour instruire les femmes. D'eux seuls, elles devaient tenir leur savoir :

> Ainsi, puisque Dieu a ordonné une telle différence naturelle entre l'homme et la femme, et que Votre Majesté

excelle dans les dons et les ornements de la sagesse, et que moi, qui suis une pauvre sotte, vous suis tellement inférieure sur tous les plans, comment donc Votre Majesté, dans des matières aussi subtiles que les questions religieuses, pourrait-elle me demander son avis ?

Son humilité plut infiniment au roi qui répliqua : « Par sainte Marie, te voilà vrai docteur, Kate, capable de nous instruire au lieu d'être instruite par nous. » Catherine saisit la perche qu'il lui tendait et, se référant à une discussion théologique récente, lui dit qu'elle n'avait pris la liberté de l'instruire « que pour le distraire de sa maladie ». « Alors, mon doux cœur, dit Henry en souriant, nous sommes à nouveau de parfaits amis. » Et l'affaire fut close. Lorsque le lendemain le chancelier arriva avec une cinquantaine d'hommes pour se saisir de la reine, il la trouva dans le jardin en compagnie du roi et de quelques dames. En voyant approcher Wriothesley, le roi entra dans une violente colère et tous ceux qui étaient présents l'entendirent traiter le chancelier de « fourbe, misérable et imbécile ».

La conscience du roi

Henry VIII avait dit un jour que « la loi de la conscience de chaque homme » était « la plus haute instance en matière de jugement ou de justice ». Il aurait été plus exact de dire que la loi de la conscience du roi d'Angleterre était la plus haute instance. Jusqu'à ses derniers jours, il chercha la vérité à imposer à ses sujets. L'exécution des trois « hérétiques » et des trois « papistes » le 30 juillet 1540 n'avait pas été un événement isolé. Au cours des années suivantes, un certain nombre d'évangéliques et de papistes moururent parce qu'ils n'avaient pas observé la loi de la conscience du roi. La dernière année de son règne, il semble que Henry devint de plus en plus inconstant et capricieux. Il écoutait d'une oreille complaisante les propositions de changement de Thomas Cranmer en matière liturgique et, dans le même temps, autorisait les membres les plus conservateurs de son conseil à lancer une offensive meurtrière contre les « hérétiques ». À l'été de 1546, un groupe d'évangéliques appelés « sacramentaires » – car niant la présence réelle du Christ dans le pain et le vin – furent ainsi brûlés vifs. Cranmer semblait toutefois bien en cour. Au prix de quelques compromissions et de quelques concessions, il avait réussi au cours des ans à naviguer dans les eaux troubles de la conscience du roi sans faire naufrage. Il avait compris que pour faire accepter au roi des réformes, si menues fussent-elles, il fallait les lui suggérer sans en avoir l'air pour qu'il pût penser qu'elles venaient de lui. C'est ainsi qu'il réussit à survivre. Il eut également l'intelligence de ne faire partie d'aucun clan. Il se voulut au-dessus du panier de crabes qu'était le conseil privé du roi. Lorsqu'une délégation française se rendit à Londres, à l'été, pour célébrer le traité de paix franco-anglais, elle fut reçue par le roi à Hampton Court, en compagnie de Cranmer ; tous les présents remarquèrent que Henry entourait avec ostentation son bras autour des épaules de l'archevêque. Au cours de cette rencontre, le roi fit une proposition à l'amiral de France, Claude d'Annebault, qui prit totalement Cranmer par surprise : Henry déclara qu'il voulait supprimer la messe en Angle-terre et suggéra que son bon frère François en fît autant dans son Royaume. Penser que François Ier allait brutalement basculer dans le protestantisme était une illusion, un vœu pieux. Mais Henry sem-blait sincère et Cranmer fut chargé de mettre au point un projet qui devait être envoyé au roi de France. La semaine suivante, Henry reçut très ami-calement des représentants de la ligue de Smalkade. Il leur fit miroiter une somme substantielle d'argent et son aide dans leur lutte contre l'empereur. Autre signe de cette volte-face : trois évangéliques condam-nés aux flammes furent graciés par le roi et les pour-suites contre d'autres abandonnées. À Londres, on se contenta d'un autodafé de livres suspects. L'ambas-sadeur de France, Odet de Selve, notait en novembre ces changements d'humeur :

> Il court ici un grand bruit de quelque dissension et mutation d'états entre les principaux du royaume. Et, m'a-t-on assuré, qu'il fût avant-hier commandé, tant au maire de cette ville [Londres] qu'à certains autres magis-trats, nommés juges de paix, qui ont leurs juridictions divisées par les provinces de ce royaume, de s'enquérir secrètement de tous ceux qui tenaient propos de trahison contre ce roi, ou qui savaient que l'on eût parlé ou cons-piré quelque chose contre lui…

À la fin de l'année, le roi, très malade, pencha définitivement du côté protestant. Stephen Gardiner fut écarté ; le duc de Norfolk et son fils Henry, le comte de Surrey, furent arrêtés. La politique n'était pas absente de cette volte-face du roi : Surrey avait imprudemment fait état du sang royal des Howard. Il avait même porté à la cour les armes d'Edward le

Confesseur. Petit-fils de Buckingham, le jeune homme descendait en effet des Plantagenêts, et des bruits circulaient qu'il aurait projeté de faire enlever le jeune Edward. Bien qu'il professât toujours, contrairement à son père, un goût pour les idées réformées, ce fut pour trahison, non pour hérésie, qu'il fut exécuté. Les craintes pour sa dynastie avaient toujours été au cœur des préoccupations du roi et il avait impitoyablement fait mettre à mort tous ceux qui pouvaient se réclamer de la Rose blanche. Norfolk devait subir le même sort pour ne pas avoir dévoilé l'outrage commis par son fils en portant les armes royales. Mais Henry mourut avant d'avoir signé son arrêt de mort.

Le roi savait qu'il n'avait plus longtemps à vivre et il semble qu'il jugeât les réformateurs de son entourage moins dangereux pour sa dynastie que les conservateurs. Cranmer et le clan Seymour protégeraient le petit roi Tudor – d'où l'importance que prirent au conseil privé du roi, au cours des derniers mois de sa vie, John Dudley, comte de Warwick et bientôt duc de Northumberland, et Edward Seymour, comte de Hertford, futur duc de Somerset. D'où le fait que pour l'éducation de son fils, il fit appel à des érudits de Cambridge qu'on peut qualifier de protestants. D'où l'amitié qui le lia à son médecin attitré, sir William Butts, et à sir Anthony Denny, gentilhomme de sa chambre, deux protestants discrets mais convaincus. Ils firent partis du petit groupe de fidèles qui restèrent avec le roi jusqu'à ses derniers instants. Henry VIII mourut à l'aurore du vendredi 28 janvier 1547. Sa mort demeura secrète jusqu'au lundi. Il fut enterré selon sa volonté auprès de Jane Seymour.

Il avait régné trente-sept ans et huit mois. Figure formidable, majestueuse et haute en couleur, il laissa des traces profondes dans l'histoire de l'Angleterre, pour le meilleur et pour le pire. Par ses excès, en vérité, il entra dans la légende.

9

Le nouveau Josias

Le testament de Henry VIII

Henry VIII eut, dit-on, une « belle » mort, c'est-à-dire qu'il mourut en bon chrétien, implorant le Seigneur de lui pardonner ses péchés. Voyant se dégrader l'état du roi, on fit venir Cranmer. Quand l'archevêque arriva, Henry ne pouvait déjà plus parler. Lui ayant pris la main, Cranmer demanda au roi de lui indiquer par signe s'il croyait en Dieu. Henry serra la main de Cranmer le plus fortement possible. Et ainsi mourut-il, confiant, probablement, en son salut. Le lundi 31 janvier 1547, Edward fut annoncé par les hérauts roi d'Angleterre et d'Irlande, « héritier du feu roi son père en tous ses pays, terres et seigneuries ».

Le roi défunt avait organisé sa succession dans l'ordre suivant : Edward, Mary, Elizabeth. Par le *Succession Act* de 1536, il avait nommé en effet ses deux filles « illégitimes » deuxième et troisième dans l'ordre de succession ; et, au cas où ses trois enfants mourraient sans descendance, il voulut que la couronne passât aux héritiers de sa sœur Mary (la lignée

Suffolk), écartant les enfants de Margaret (la lignée Stuart). Le testament de Henry VIII, daté du 30 décembre 1546, annulait toutes les dispositions prises auparavant. Ses dernières volontés sont simples. Il nomma comme exécuteurs testamentaires seize conseillers, eux-mêmes assistés de douze personnes. Le conseil de régence devait durer jusqu'à ce que le jeune roi atteignît ses dix-huit ans, en octobre 1555. La constitution Tudor posait un problème. Héritière de la constitution médiévale, elle réclamait que le roi en personne régnât. Or Edward n'avait que neuf ans et, bien que d'une intelligence vive, il ne pouvait diriger le pays. Les lois et les décrets qu'il adopta furent l'œuvre de ses conseillers. Il ne fit que les entériner. Le peuple l'aima comme il avait aimé Henry qui leur avait laissé l'image d'un roi patriote, libérateur de la tyrannie papiste. La campagne menée par Cromwell pour faire accepter la rupture avec Rome avait porté ses fruits : de tous les pays d'Europe, le plus antiromain fut certainement l'Angleterre.

Un portrait que nous avons de l'enfant-roi montre un jeune garçon pensif, au visage intelligent, au regard triste. On l'a dit arrogant et suffisant. C'est possible. Le fait est qu'il prit son rôle très à cœur et s'intéressa aux affaires du royaume, surtout aux affaires religieuses. L'orientation protestante de son éducation est indéniable. Edward fut instruit par des précepteurs protestants et guidés par des hommes politiques acquis aux idées évangéliques, sinon déjà protestants. Elizabeth, de quatre ans son aînée, l'avait porté lors de son baptême, et Mary avait été sa marraine. Il n'eut sans doute que très peu de rapports avec l'aînée de ses demi-sœurs ; avec Elizabeth, en revanche, il partagea jeux et professeurs. Ils furent de fait très proches et vécurent ensemble dans les différentes résidences royales. Comme son père, Edward se passionna pour la théologie. Il a laissé quantité d'écrits qui montrent combien l'éducation des jeunes princes anglais était poussée et raffinée. On a retrouvé cinquante-cinq essais en latin et cinquante en grec dont il est l'auteur. Pour reprendre les mots de son dernier biographe, Diarmaid MacCulloch, Edward était « un membre talentueux d'une talentueuse famille ». L'art de la rhétorique n'avait pas de secret pour lui. À l'âge de onze ans, il consacra deux semaines consécutives à un exercice portant sur deux proverbes classiques conflictuels : l'un glorifiant la mort sur le champ de bataille, l'autre condamnant les horreurs de la guerre. Il relia habilement les cas discutés aux événements du temps présent et conclut que l'on pouvait tirer gloire d'une guerre lorsqu'il s'agissait de défendre la religion, mais stigmatisa en même temps les destructions terribles causées par les Français lors du débarquement à l'île de Wight – et par les Anglais en France ; ou encore, ce qui lui sembla particulièrement regrettable, par les armées anglaises en Écosse. Il est aussi l'auteur d'un traité sur la suprématie du pape, écrit en français, qu'il dédia à Edward Seymour. Après s'être posé des questions sur la présence de l'apôtre Pierre à Rome et avoir disséqué la construction du pouvoir papal au fil des siècles, il en vint à conclure que le pape était le « vrai fils du diable, un homme mauvais, un antéchrist et un abominable tyran ». Ses écrits montrent une ferveur surprenante dans son engagement évangélique. En avril 1550, l'ambassadeur du Saint Empire romain en Angleterre constatait l'enthousiasme du jeune roi qui, pendant le sermon, prenait des notes, ajoutant qu'Edward insistait pour inviter les meilleurs prédicateurs à la cour. Il était aussi, comme son père, un grand sportif, aimant la chasse au cerf et les tournois ; son journal intime contient des descriptions enthousiastes de parades militaires.

On peut s'interroger sur le comportement affectif du jeune roi. Dans son journal intime, toujours, il raconte qu'il fut élevé au milieu de femmes. L'attention que lui porta Henry fut celle que l'on pouvait attendre d'un monarque envers son héritier : veiller à son éducation et chercher pour lui une épouse qui favoriserait l'Angleterre sur le plan international. À travers l'éducation de son fils, Henry prépara sa succession. Il semble que le jeune Edward n'eut que peu de contact avec son père jusqu'au remariage de celui-ci avec Catherine Parr. La généreuse Catherine tenta de lui prodiguer son affection et ses oncles Seymour s'employèrent à gagner ses faveurs, mais il ne montrait guère ses sentiments, ni ses émotions. Le sens du devoir prima sur le côté affectif, et lorsqu'Edward Seymour fut renversé par un coup d'État organisé au sein du conseil privé, à l'automne de 1549, il ne parut pas en être particulièrement affecté. Il ne montra non plus aucune émotion particulière lorsque Catherine Parr mourut en couches, ou lorsque ses oncles Seymour furent exécutés.

Le temps des protecteurs

Edward gouverna sous deux *Protectors* du royaume successifs : Edward Seymour, duc de Somerset, et John Dudley, comte de Warwick. Une lourde tâche attendait Somerset. Henry VIII avait laissé un pays divisé religieusement, une confession de foi mal définie, une paix boiteuse avec la France, un conflit jamais réglé avec l'Écosse et des caisses à peu près vides. Somerset, malgré toutes ses qualités, ne fut pas l'homme du moment : grand soldat, libéral dans ses idées et généreux dans la pratique, il manqua de clairvoyance en politique. Il désespéra en vérité ses partisans. L'un d'eux écrivit qu'avec lui, une seule chose comptait : la liberté. Selon G. R. Elton, grand spécialiste de l'ère Tudor, il était le « type même de l'idéaliste ignorant qui applique les mauvais remèdes pour guérir des maux mal diagnostiqués ». Somerset rêva d'une fusion pacifique de l'Angleterre avec l'Écosse en un « empire » de Grande-Bretagne ; il pensait que le mariage entre la petite Mary Stuart et Edward, arrangé par le traité de Greenwich, cimenterait l'union. Les Écossais faisant la sourde oreille, il décida d'envahir leur territoire pour forcer l'union. Il avait prévu aussi, dans le sillage des armées, d'envoyer des missionnaires protestants pour « évangéliser » les Écossais. Ce fut une aventure désastreuse aux retombées dramatiques. Sans doute remporta-t-il quelques places fortes, mais les Écossais eurent tôt fait d'expédier la petite Mary à la cour de France, et Henri II, le nouveau roi de France, organisa le mariage du dauphin François avec l'enfant. De part et d'autre on chercha à s'emparer de la personne de

Mary, « reine des Écossais », un pion sur l'échiquier européen. Profitant de la mauvaise situation des Anglais, Henri II leur déclara la guerre et envoya des forces assiéger Boulogne. Somerset fut contraint de négocier et, face à la menace française, il dut dévaluer la monnaie.

Il ne fut guère plus heureux en politique intérieure. En 1549 encore, deux rebellions éclatèrent : l'une en Cornouailles, qui s'étendit au Devon ; l'autre dans l'East Anglia. La première était due à la nouvelle politique religieuse du régent, trop protestante aux goûts des habitants qui exigeaient le retour à la messe en latin et la légitimité pour la princesse Mary ; l'autre fut une révolte agraire, et l'on accusa Somerset d'avoir suscité dans le peuple, par des paroles inconsidérées, des espoirs qu'il n'avait pas les moyens de réaliser. Il dut faire face également à un complot fomenté par son frère, qui avait secrètement épousé Catherine Parr et se voyait déjà au pouvoir. Enfin, après une révolution de palais orchestrée par le clan catholique, il fut arrêté puis remplacé par Warwick, qui s'empressa de se donner le titre de duc de Northumberland. De Warwick, la postérité retint surtout l'avidité et le caractère « cynique et machiavélique ». Il est vrai qu'il réussit à faire exécuter pour « félonie » son rival, Somerset, par une contorsion à l'acte d'accusation. Il n'empêche qu'il parvint à maintenir son pays dans la paix.

En matière de politique religieuse, Edward Seymour connut toutefois une grande réussite. Il s'appuya sur Thomas Cranmer, comme aussi d'ailleurs son successeur ; à eux trois, ils firent entrer l'Angleterre de plain-pied dans la Réforme. Quoique divisés politiquement et religieusement, il est un point sur lequel tous les évangéliques anglais s'entendirent : le rejet des « énormités détestables de l'évêque de Rome ».

Cranmer et la réforme

Bien qu'acquis aux idées réformées, et correspondant avec Heinrich Bullinger depuis 1536, Cranmer avait fait passer la politique avant la religion et attendu la mort de Henry VIII pour affirmer son désir d'instaurer en Angleterre le protestantisme. C'était une question de survie. Il s'employa sous Edward VI à purifier l'Église anglaise du papisme, puis il porta le coup de grâce à l'industrie moribonde du purgatoire et, enfin, il fit la promotion des héros anglo-saxons des siècles passés, lesquels vivaient avant que ne fussent importés en Angleterre les « cérémonies, pèlerinages, purgatoire, saints, œuvres pieuses et autres, qui depuis trois ou quatre cents ans ont corrompu le christianisme ». Lorsque le Parlement se réunit, il annula l'Acte contre les hérésies, ainsi que toutes les restrictions relatives à l'imprimerie, à la lecture, à l'enseignement et à la diffusion des Écritures. Cette mesure favorisa tant la propagation des idées réformées que la connaissance des textes bibliques. Là où l'Église catholique avait valorisé l'institution ecclésiastique, ses traditions et sa hiérarchie, le protestantisme mit l'accent sur les Écritures comme unique expression de la Parole de Dieu, et, partant, comme unique source de la connaissance de Dieu. L'obéissance aux canons de l'Église devint obéissance aux commandements de Dieu.

Diarmaid MacCulloch souligne l'intensité de la discussion théologique au temps d'Edward, discussion qui impliquait les laïcs autant que le clergé. Le règne commença donc sous le signe d'une libéralisation de l'expression religieuse. Somerset et Cranmer firent néanmoins savoir qu'ils ne toléreraient aucun radicalisme ni aucun désordre, et les propagandistes du gouvernement continuèrent à chanter les louanges de Henry VIII, affirmant avec insistance que le nouveau pouvoir poursuivrait sa politique. Pour en montrer la continuité, un prédicateur, le 27 novembre 1547, avait déclaré du haut de sa chaire londonienne que le jeune roi reprenait le manteau de Josias que son père avait revêtu en 1538. La comparaison avec Josias, roi hébreu âgé de 8 ans au début de son règne, qui « ôta les souillures » de la Maison du Seigneur (2 Ch 29, 1-12 ; 2 R 18, 1-5) sied mieux à Edward qu'à Henry. Mais, de même que Josias avait extirpé l'idolâtrie, Henry VIII avait extirpé le papisme. On appela également Edward le « second Ézéchias », autre roi réformateur hébreu, voire on le compara occasionnellement à Salomon. Non pour sa sagesse, mais parce que le grand roi biblique avait construit le Temple de Jérusalem, ce que Dieu n'avait pas permis à David, son père — allusion transparente à la mise en place de la Réforme en Angleterre.

Ce qui est certain, c'est qu'Edward fut si indigné des dispositions prises par son père contre les évangéliques dans le fameux Acte des Six Articles de 1539, qui en avait conduit un certain nombre au bûcher, que Cranmer dut lui demander d'adoucir son propos. S'apitoyant sur le sort des « pauvres agneaux de Dieu », il voulait écrire : « S'ils ne font pas ce que demande le pape, c'est-à-dire sacrifier aux idoles et aux diables, il les brûle et nous fait porter un fagot. » Cranmer, très diplomate, lui fit remarquer qu'il était bon qu'un monarque régnant fît des commentaires « moins personnels ». Edward finalement écrivit : « S'ils ne font pas ce que demande le pape [...] il les brûle ou les force à faire amende honorable. »

Cranmer avança prudemment, sans toutefois dévier de sa route. L'Angleterre entra alors dans une ère nouvelle : les hôpitaux, les collèges, les écoles, les guildes et autres institutions religieuses passèrent sous le contrôle de la Couronne, et on fit venir du continent des réformateurs de premier plan, comme Martin Bucer, auquel fut offert une chaire à Cambridge, ou Pierre Martyr Vermigli, qui enseigna à Oxford ; d'autres encore traversèrent la Manche. Au printemps de 1549, Cranmer promulgua la première version du *Livre de prière commune* (*Book of Common Prayer*), que l'on peut considérer comme une première étape dans la réforme doctrinale et ecclésiale de l'Église d'Angleterre. Par une proclamation royale du 25 décembre 1549, ordre fut donné à toutes les personnes du royaume de l'utiliser, et il fut de plus demandé aux évêques de détruire les anciens livres liturgiques, les missels, les manuels, les « légendes » et les autres, qui étaient susceptibles de maintenir les fidèles dans l'ignorance et la superstition papiste. Tous services et chants en latin étaient désormais interdits. C'était trop pour les uns ; trop peu pour les autres.

Une correspondance avait été engagée avec Calvin, lequel invita le roi et Somerset à poursuivre les réformes malgré les oppositions. Une lettre adressée de Genève par le Réformateur à Somerset en date du 22 octobre 1548 nous apprend que la nouvelle orientation religieuse était contestée à la fois par les « obstinés aux superstitions de l'Antéchrist de Rome » et par des radicaux briseurs d'images, qui avaient provoqué des troubles d'autant plus fâcheux « qu'ils étaient émus en partie sous ombre du changement de la religion ». Calvin démontra sa préoccupation et, pour remède, conseilla au roi d'instruire le peuple des Écritures. Martin Bucer en était également convaincu. Dans son traité *De regno Christi*, qu'il finit de rédiger à Cambridge et adressa au jeune roi Edward, il écrit : « Il est nécessaire que toute doctrine soit prise des saintes Écritures, auxquelles il n'est point licite d'ajouter ni diminuer rien. »

Bucer aurait voulu une transformation profonde de l'Angleterre, tant sur le plan religieux que social, économique et juridique. Il rêva de transformer l'Angleterre en un « royaume du Christ sur la terre ». Seulement, ni Edward ni son entourage n'étaient prêts à transformer le royaume en une *Republica Christiana*, ce que Bucer avait tenté de faire pendant un quart de siècle à Strasbourg ; le peuple anglais ne l'aurait d'ailleurs pas accepté. Bien que son action en Angleterre fût courte, puisqu'il mourut à Cambridge en 1551, son influence sur le protestantisme anglais fut importante. Sa contribution majeure fut la révision du *Book of Common Prayer*, dont la principale caractéristique, qui marquera le puritanisme, est fondée sur la notion que tout ce qui n'est pas sanctionné par l'Écriture doit être omis. Si l'on doit d'un mot définir la réforme edwardienne, on dira qu'elle fut

« biblique ». Nous constatons d'ailleurs, dans le langage des Anglais du temps, combien cette influence est forte et combien typique est la référence permanente aux thèmes et aux personnages de la Bible.

L'adieu au saint patron

Les Anglais ne devinrent pas pour autant de bons protestants. Les résistances furent vives. Le rejet de la doctrine du purgatoire, qui rendait caduc le rôle du « saint patron » – auquel le villageois tenait tant –, l'abandon de l'extrême-onction, la transformation des autels en tables de communion, les attaques contre la magie des sacrements, la suppression des statues et images, de l'eau bénite, du pain bénit et de l'huile sainte, rencontrèrent en fait l'incompréhension et même l'hostilité des fidèles dans certaines régions. On les dépouillait de leur culture ! La Réformation, ne l'oublions pas, fut acculturante, même si, en Angleterre, elle le fut moins qu'ailleurs puisque les théoriciens de l'Église conservèrent la structure épiscopale et cherchèrent le compromis entre la nouvelle religion et l'ancienne en matière liturgique. Néanmoins, bien que le régime du *Protector* Somerset ait été considéré en son temps, et par les historiens depuis, comme relativement modéré, son impact fut dévastateur. Une injonction de 1547 interdisait ainsi au chrétien d'observer les pratiques suivantes :

> Asperger de l'eau bénite sur son lit [...], porter sur soi le pain sacré [...], sonner les cloches ; ou bénir avec un cierge dans l'intention d'être soulagé du poids de ses péchés, ou pourchasser les démons, ou écarter les rêves et

les songes ; ou [...] mettre sa confiance dans pareilles cérémonies pour le bien de sa santé ou de son salut.

C'est en la seule Parole, lue et prêchée, que le chrétien devait mettre sa confiance : elle donnait la vie alors que la piété papiste apportait la mort spirituelle. Le salut dépendait donc de l'accès à la Bible. Mais, en dépit des injonctions royales, beaucoup de paroissiens anglais n'y avaient pas encore accès. Dans certaines régions, les prêtres eux-mêmes eurent du mal à se mettre à la réforme évangélique.

À partir de 1550 les évêques demeurés trop catholiques furent remplacés par des protestants zélés. Les nominations de Nicholas Ridley à Londres et de John Hooper à Gloucester devaient accélérer le processus. Exilé à Zurich sous Henry VIII, Hooper, profondément marqué par la théologie du réformateur Ulrich Zwingli, était bien décidé à promouvoir dans son diocèse le protestantisme radical dont il était devenu un fervent partisan. C'était une forte tête. Convaincu que la Bible devait être la seule autorité en tous les domaines, il ne pouvait accepter un cérémonial qui n'était pas prescrit dans les Écritures ; c'est pourquoi il faillit refuser l'évêché qui lui était offert parce qu'il ne voulait pas porter les « vêtements papistes » pour son ordination ni prêter le serment d'usage du fait que le texte comportait une invocation aux saints. Il fallut trouver un compromis : Hooper accepta de porter la chasuble détestée, et l'invocation aux saints fut retirée du texte du serment par le roi lui-même. Edward, qui avait alors treize ans, donna à cette occasion les premiers signes d'indépendance. Mis au courant du différend avec

Hooper, il raya lui-même d'un trait de plume le passage litigieux du serment.

Le nouvel évêque fut enchanté. À l'été de 1551, il partit inspecter ses paroisses. Au cours de sa tournée, il découvrit qu'il avait fort à faire pour transformer les prêtres en ministres protestants. Le manque total de connaissance biblique du clergé l'affligea. Il rapporta que parmi les 311 prêtres rencontrés, 10 ne pouvaient réciter le Notre Père, 39 ne pouvaient en trouver le texte dans la Bible, 34 ne pouvaient en nommer l'auteur et que 168 s'étaient montrés incapables de réciter les commandements, y compris parmi ceux qui en connaissaient l'existence et la place dans la Bible. À l'instar de Zwingli, Hooper était convaincu que l'écoute de la Parole amènerait la conversion du peuple. Or il fallait pour cela que le clergé fût en mesure de prononcer des sermons « édifiants », ce qui était impossible sans appui biblique. Zélé et enthousiaste, Hooper se fit fort d'amener rapidement le petit peuple à la religion de la Parole. Confiant dans son potentiel, il écrivit à William Cecil, secrétaire de Somerset et futur conseiller de la reine Elizabeth :

> Si vous et moi restions agenouillés tous les jours de notre vie, nous ne pourrions remercier Dieu assez justement pour avoir si miséricordieusement incliné le cœur des gens vers la Parole de Dieu dont ils ont maintenant grande soif. Sans aucun doute, ils forment un grand troupeau en Angleterre que le Christ sauvera […] ; ils n'ont besoin que d'hommes raisonnables, érudits et sages.

La Réforme était bien en marche mais les jours du roi réformateur étaient comptés. Edward tomba gravement malade. Une fois encore c'est de l'Ancien

Testament que l'on tira une analogie avec la situation présente. La prière dite dans la Chapelle royale pour la guérison du jeune roi était la suivante :

> Comme tu as délivré le roi Ézéchias de sa maladie mortelle, et prolongé sa vie pour la sauvegarde de ton peuple, les Israélites, et les as défendus, ainsi que la cité [Jérusalem], de la tyrannie des Assyriens, nous faisons appel à ta grande miséricorde pour que tu restaures la santé et la force de ton serviteur Edward, notre souverain Seigneur.

Il n'y eut pas de miracle en cet été 1553. Le 6 juillet, Edward VI fut emporté par la phtisie. Le temps du règne de la reine Jézabel était venu.

10

Bloody Mary

Lady Mary and lady Jane

La fille aînée de Henry VIII avait eu une enfance fort triste. Lorsque le roi décida de se séparer de Catherine d'Aragon, Mary fut tenue à l'écart. Son père voulut non seulement l'éloigner de la cour, mais aussi de sa mère. Mary reçut néanmoins une éducation de princesse car, comme tous les enfants royaux, elle aurait un jour un rôle à jouer dans le réseau des alliances royales. Même devenue illégitime, elle avait de la valeur sur le marché aux princesses. Ce n'était pas pour Henry discrimination capricieuse : reconnaître la légitimité de sa fille aurait montré la validité de son mariage avec Catherine d'Aragon. De cette disgrâce, Mary garda amertume et rancœur. Elle détesta Anne Boleyn, ce qui est compréhensible, mais aussi la princesse Elizabeth, sa rivale. Il est vrai qu'elle fut obligée, partout où elle se rendait, de lui donner la préséance. À Elizabeth seule fut donné le titre de princesse. Mary, elle, était « la Lady Mary » et les gens de la maison d'Elizabeth ne se privèrent pas de lui faire subir des humiliations.

L'accès à son père et à sa mère lui fut interdit, et on l'empêcha d'aller à la messe de peur que le peuple la saluât. Car, comme Catherine d'Aragon, la princesse était populaire.

Mary Tudor détesta aussi Jane Seymour, laquelle pourtant plaida en faveur d'un rapprochement avec son père, comme le fit par la suite Catherine Parr. Mais, surtout, elle détesta l'orientation religieuse du Royaume et refusa de reconnaître la légitimité de Henry VIII en tant que Chef suprême de l'Église. Pour Mary, animée d'une piété profondément romaine, l'Église ne pouvait avoir qu'un chef : le pape. On dit qu'elle avait été une enfant douce, sensible et charitable. Mais elle était aussi obstinée et fanatique dès qu'il s'agissait de religion. On ne trouve chez elle que peu des qualités des Tudors, lesquels s'identifiaient totalement avec l'Angleterre et dont l'esprit aiguisé et analytique leur permettait de traverser les tempêtes sans trop d'avaries, quitte à changer de cap brutalement. Les Tudors aimèrent l'Angleterre avec passion. Mary, elle, était Aragon jusqu'à la moelle et s'en vantait. Elle était en fait dominée par deux choses : son ascendance espagnole et la religion.

Les rapports avec son père, chaleureux dans la petite enfance, avaient pris une tournure tragique. Lorsque le roi rendit visite à sa fille Elizabeth à Hatfield, peu après sa naissance, Mary, qui y résidait, demanda à être reçue par le roi. Celui-ci refusa. Alors elle grimpa au sommet du château et s'agenouilla, les mains jointes vers le ciel. Le roi la vit en partant et la salua de la main. Jamais Mary ne voulut reconnaître Elizabeth comme princesse : elle était pour elle la petite bâtarde, et sa mère, pour reprendre les mots de l'ambassadeur impérial Chapuys, « la grande putain ». Disons-le, elle fit de son mieux pour se rendre insupportable.

Plus tard, il y eut un autre moment pathétique dans les relations entre le père et la fille. Après la mort de sa mère et l'exécution d'Anne Boleyn, la jeune fille fit la paix avec son père. Ce fut une reddition sans condition : Mary déclara renoncer à Rome, reconnut la légitimité de la suprématie royale sur l'Église, et admit sa propre illégitimité. Par écrit, elle dut même reconnaître que le mariage entre Henry et sa mère avait été « incestueux et illégal ». Après avoir signé le document, elle demanda secrètement à l'ambassadeur Chapuys de lui obtenir l'absolution papale pour ce qu'elle venait de faire. Sa triste adolescence excuse-t-elle les crimes qui furent commis durant son règne au nom de la religion ? Même si Mary, en comparaison avec les pratiques continentales, comme le dit non sans humour Geoffrey Elton, brûla peu de protestants, il n'en reste pas moins qu'« en se fondant sur les conditions et les traditions anglaises, ses activités furent sans précédent et laissèrent un souvenir ineffaçable ».

Elle n'eut pas même la joie d'être proclamée reine aussitôt qu'Edward VI mourut. D'abord, deux jours passèrent avant que la mort du jeune roi fût annoncée ; ensuite, il y eut le coup d'État organisé par le *Lord Protector* Northumberland, avec l'accord d'Edward, qui se savait mourant. Craignant de voir le catholicisme revenir en force avec Mary, ce qui provoquerait sa chute, Northumberland convainquit Edward VI de ne pas tenir compte du testament de son père, de déclarer ses deux sœurs illégitimes et de choisir la protestante lady Jane Grey, fille du duc de Suffolk, pour lui succéder. Lady Jane descendait de la tante d'Edward, Mary, et avait épousé le fils de Northumberland, Guilford Dudley. Elle avait le même âge qu'Edward et possédait une culture biblique et humaniste égale à celle du jeune roi. Elle était douce, pieuse, douée pour les arts, sensible et innocente. Que ces qualités ne fussent pas celles que l'on attendait d'une future reine d'Angleterre importait peu à Northumberland qui avait bien l'intention de régner lui-même. Le dimanche 9 juillet, alors que la mort d'Edward n'avait pas encore été annoncée, il la fit chercher et, lorsqu'elle se présenta à lui, lui dit que son cousin lui-même, sur son lit de mort, l'avait désignée pour lui succéder. Puis il mit un genou en terre, en signe d'hommage, ainsi que les quatre seigneurs qui étaient avec lui. La petite Jane pleura sincèrement la mort d'Edward, clama qu'elle n'était pas digne de porter la couronne et pria Dieu de lui venir en aide.

Northumberland s'était montrée exagérément confiant. Il aurait dû faire arrêter Mary avant son coup d'État. Prévenue de la mort du roi et des intrigues du *Lord Protector*, celle-ci s'était enfuie en East Anglia, où elle réunit un grand nombre de partisans qui la proclamèrent sans attendre « reine d'Angleterre et d'Irlande ». Northumberland commit une seconde erreur : il abandonna Londres pour aller mater la nouvelle rébellion en East Anglia. Pendant ce temps, le Conseil se désintégra en un « sauve-qui-peut général », face à la montée des soutiens en faveur de Mary, tant dans les milieux protestants que catholiques.

La reine Jane ne régna que quelques jours. Elle fut arrê-
tée et envoyée à la Tour, ainsi que Northumberland,
ses quatre fils, plus quelques lords qui, de près ou de
loin, avaient participé au coup d'État ; on vit réap-
paraître aux affaires le vieux duc de Norfolk, Gardiner
et tous les pro-catholiques exclus du pouvoir sous le
règne d'Edward. Northumberland fut mis à mort
pour haute trahison au mois d'août. Il avait cherché
à éviter l'exécution en renonçant au protestantisme,
alléguant, dit-on, qu'« un chien vivant vaut mieux
qu'un lion mort ». Un encouragement pour Mary.

Mary, « fléau de Dieu » ?

Le 19 juillet, un *Te Deum* avait été chanté à
Saint-Paul en honneur de la nouvelle reine et le
9 août, Cranmer avait présidé la cérémonie funèbre
du roi Edward selon le rite du *Book of Common
Prayer*. La nouvelle reine n'y assista pas. Les Anglais res-
tés fermement attachés au catholicisme se réjouirent,
les autres, dans l'ensemble, se résignèrent ou se sou-
mirent sans protester. Les réformateurs anglais
avaient toujours prêché l'obéissance au prince, en
s'appuyant sur la Bible : un chrétien ne se rebelle pas
contre son souverain, l'oint du Seigneur. De plus,
l'avidité et l'ambition démesurées du *Lord Protector*
avaient provoqué un grand mécontentement dans la
population. À cela, on peut ajouter l'amour des
Anglais pour leur monarchie, ce qui amena même
des protestants zélés à soutenir Mary qu'ils tenaient,
en tant que Tudor, pour héritière légitime de la couronne. Enfin, il y a fort à penser que certains, parmi

les plus pieux, eurent mauvaise conscience : ils virent en Mary un fléau envoyé par Dieu pour les punir de n'avoir pas su profiter du règne d'Edward pour convertir totalement le pays à la « vraie » religion. John Knox, le réformateur écossais, ancien aumônier d'Edward VI, fut de ceux-là : chapelain royal, et bien qu'affligé par l'accession au trône d'une catholique, il continua pendant quelques mois à remplir ses obligations pastorales avant de fuir sur le continent. Espérant que de la catastrophe naîtrait le salut, Knox composa une prière pour supplier Dieu de convertir la reine et son Conseil privé à la Réforme – et il ne fut sûrement pas le seul à prier pour la conversion de la reine. Le thème de la punition divine contre la nation anglaise, qui s'était montrée indigne de l'alliance contractée avec Dieu au moment de la conversion nationale sous Henri VIII, puis sous Edward VI, allait coloniser sa pensée.

Mary était l'héritière légale de Henry VIII et avait tous ses pouvoirs. Mais le Parlement fit très vite savoir à la reine qu'il n'était pas question de changer quoi que ce soit aux critères religieux instaurés par le roi à la fin de son règne. Dès lors, le retour à la suprématie papale était hors de question. Mary dut un temps composer. De même, elle se heurta aux membres du Parlement lorsqu'elle fit part de son désir d'épouser son cousin Philippe d'Espagne. Ils lui envoyèrent une délégation pour la supplier de prendre un époux dans une noble famille anglaise. Mary s'entêta et le désamour avec le peuple commença. Les protestants, qui l'avaient jusque-là soutenue, le regrettèrent rapidement. À l'automne, quelques « émotions », dans l'Essex et le Kent, éclatèrent. Quatre mille rebelles en armes, menés par le fils du poète Thomas Wyatt, marchèrent sur Londres, ne s'arrêtant qu'aux portes de la cité. Mary aurait voulu garder près d'elle Elizabeth, car elle craignait, avec raison, que les rebelles en fissent leur porte-drapeau. Mais celle-ci s'était retirée à Ashbridge, dans le Buckinghamshire. La reine lui écrivit une lettre au ton ferme, lui demandant de venir la rejoindre. Elizabeth prétexta une douloureuse crise de rhumatismes pour ne point quitter Ashbridge. Eut-elle conscience du danger ? Sans doute, car elle demanda à Mary de lui faire parvenir des livres catholiques « afin de pouvoir s'instruire ». Elizabeth était prête à quelques concessions pour rester en vie.

Wyatt fut arrêté et, selon la loi, « pendu, étripé et découpé ». Suite à la rébellion, la reine sévit durement. Les prisons se remplirent et les exécutions se multiplièrent. Dans tous les quartiers de Londres, des corps pendaient à des gibets. « Le sang de la reine enfin bouillonne », écrivait l'ambassadeur de Charles Quint, Simon Renard. Elle fit exécuter pour trahison Jane Grey, son mari et ses frères, ainsi que d'autres seigneurs de son entourage. Au moment d'avoir la tête tranchée, Jane montra un courage et une foi exemplaires. Elle avait dix-sept ans. Comme sa fille, le duc de Suffolk mourut en affirmant fermement sa foi tout en demandant pardon pour s'être rebellé. Pressée par Renard, Mary fit arrêter Elizabeth, qui fut provisoirement incarcérée à la Tour. Elle fit aussi arrêter les prélats qui avaient proclamé haut et clair leur attachement à l'évangélisme, voire au protestantisme venu de Zurich ou de Genève.

L'archevêque de Canterbury, Thomas Cranmer, prit également le chemin de la Tour. En 1555, il fut jugé pour trahison et pour hérésie. Renard eut sur Mary la plus néfaste des influences, agitant sous son nez le danger imminent d'un complot contre elle au point qu'elle songea à prendre un garde du corps irlandais pour la protéger et durcit sa politique répressive. Bientôt, la reine eut auprès d'elle un conseiller redoutable : Reginald Pole. Revenu d'exil, le cardinal Pole, ennemi farouche de la réforme henricienne, devint l'homme fort du nouveau régime.

Pour les protestants, Mary fut un fléau. Elle fit soumission au pape, restaura l'ordre catholique en sa totalité, ressuscita le défunt Acte contre les hérésies et, à partir de 1555, envoya au bûcher quelque trois cents protestants tandis que huit cents autres environ prenaient le chemin de l'exil – les fameux *Marian exiles*. Parmi les victimes que John Foxe recensa dans son *Martyrologe* figurent : Thomas Cranmer, John Hooper, l'ancien évêque de Gloucester, Nicholas Ridley, l'ancien évêque de Londres, Hugh Latimer, l'ancien évêque de Worcester. La mort de Hooper fut particulièrement longue et horrible parce que, le bois étant humide, le bûcher dut être rallumé à plusieurs reprises. Mais jamais sa foi ne faiblit dans la douleur. Thomas Cranmer, lui, avait abjuré par écrit durant son procès, afin d'échapper à la douleur des flammes. Mais ses juges n'en tinrent pas compte. Se reprenant de sa faiblesse passée, il eut sur le bûcher une conduite héroïque. Il refusa, avant que les flammes ne l'atteignissent, de confirmer son abjuration, déclara que le pape était l'antéchrist et répéta en termes clairs la doctrine protestante de l'eucharistie. Des centaines de Londoniens assistèrent à son martyre ainsi qu'à celui de quantité de jeunes d'humble condition, filles et garçons. Arrêtés pour « hérésie », ceux-ci, lors de leurs interrogatoires, montrèrent une bonne connaissance des Écritures et des préceptes de la religion réformée, de même qu'une ferme volonté d'obéir à Dieu plutôt qu'à la reine. On sait qu'une des premières mesures prises par Mary avait été de supprimer les bibles en langue anglaise dans les églises, et d'interdire la lecture de toutes les bibles dites « protestantes ». Il y eut parfois des « émotions » autour des bûchers, si bien qu'à Londres, plusieurs martyrs furent brûlés la nuit.

L'homme clé de la « re-catholisation » de l'Angleterre, le cardinal Pole, estimait que le peuple pouvait être conduit à la foi par la seule liturgie, et que la « beauté » de l'image devait être préférée aux débats théologiques. De la théologie de la grâce, on était revenu au salut par les œuvres ; et de la religion du livre, on était retourné à celle de l'image. Pourtant, plus que jamais, le peuple anglais demeura attaché aux Écritures qui continuèrent à circuler dans le royaume. Dans la Bible, les protestants n'eurent aucun mal à trouver un personnage correspondant à Mary : Jézabel.

Mary et Philippe

Plus dévastateur encore dans l'opinion publique fut le mariage de la reine avec Philippe II d'Espagne. Catholiques et protestants y furent opposés dans la mesure où tous redoutaient une ingérence étrangère dans les affaires du royaume. Mary déclara à l'ambassadeur Renard, venu la visiter, qu'elle n'avait jamais « ressenti ce sentiment qu'on appelle l'amour, ni donné asile en son cœur à des pensées voluptueuses », mais qu'elle était prête à donner à Philippe tout ce qu'un époux attendait de son épouse. Dans sa chapelle privée, où elle se trouvait en compagnie d'une de ses dames d'honneur, elle se mit à genoux devant l'autel et entonna le *Veni Creator Spiritus*. Puis elle se réleva et d'une voix inspirée, raconta Renard à l'empereur, déclara que « Philippe était l'élu des Cieux pour elle, la Reine Vierge. S'il fallait des miracles pour qu'il fût à elle, alors un pouvoir plus fort que celui des hommes les ferait. Elle le chérirait et l'aimerait, lui seul ».

Finalement, il fut décidé dans le traité de mariage que Philippe ne porterait le titre de roi d'Angleterre que tant que la reine vivrait. À sa mort, il perdrait automatiquement le titre. Il fut décidé également que la reine seule gouvernerait le royaume et administrerait ses finances. Cinq clauses furent ajoutées au traité, dont les trois premières en disent long sur la méfiance des membres du Parlement à l'égard du mariage espagnol :

1. Aucun étranger, en aucune circonstance, ne sera autorisé à occuper un poste dans la maison royale, dans l'armée, les forts ou la marine.

2. La reine ne saurait être emmenée à l'étranger sans son consentement et les enfants – s'il y a des enfants – ne sauraient être conduits hors de l'Angleterre sans le consentement du Parlement, même si, parmi eux, il y a l'héritier de l'empire espagnol.

3. Si la reine mourait sans descendance, la connexion entre le prince et le royaume serait immédiatement interrompue.

Des rumeurs d'assassinat couraient : on disait que l'Espagnol serait tué sitôt qu'il mettrait le pied sur le sol anglais. Philippe arriva, entouré d'hommes d'armes qu'il fit passer pour ses serviteurs. De plus, craignant d'être empoisonné, il amena son propre cuisinier. Le mariage eut lieu en la cathédrale de Winchester en juillet 1554, avec toute la pompe due à une cérémonie royale. Lorsqu'elle épousa Philippe, Mary avait déjà trente-sept ans. L'idée de l'union charnelle la révulsait, mais elle s'y prêta volontiers pour le bien du royaume et la gloire du catholicisme romain. Lorsque Pole revint d'exil et vint saluer la reine, le 24 novembre 1554, il employa curieusement les mots adressées par l'ange Gabriel à Marie, la mère de Jésus, selon la tradition chrétienne : « Je te salue, Marie pleine de grâces, le Seigneur est avec toi. » Il n'en fallut pas davantage pour que Mary se persuadât qu'elle était enceinte et qu'elle avait ressenti un tressaillement dans ses entrailles. L'enfant serait le bienvenu pour Philippe. Car les membres des *Commons* refusaient toujours de le couronner roi d'Angleterre. Mais quand la reine déclara qu'elle était enceinte, ils se montrèrent prêts à lui accorder le statut de régent. Seulement, les semaines passèrent sans qu'aucun enfant ne vînt. Renard s'impatientait et écrivait à Charles Quint :

L'avenir entier tourne autour de l'accouchement de la reine dont il n'y a aucun signe. Si tout va bien, l'état d'esprit du pays s'améliorera. Si elle s'est trompée, je prévois des convulsions et des troubles tels qu'aucune plume ne peut décrire.

Il s'agissait d'une grossesse nerveuse – ou d'une crise d'hydropisie. L'intolérance religieuse de la reine ne fit dès lors que grandir : les flammes des bûchers rougeoyèrent le ciel et les cendres des martyrs fertilisèrent les sentiments antipapistes des Anglais. Philippe II, qui sentait monter dans le pays la haine à l'égard de l'Espagne et de la papauté, exhorta la reine à la modération. On peut penser que c'est sous son influence que la reine libéra Elizabeth de la Tour, l'« assignant à résidence » au château de Woodstock, où elle fut confinée sous haute surveillance. En vérité, Mary est seule responsable des atrocités commises à l'encontre des protestants. Tant Charles Quint que Philippe II, en bons politiques, ne cessèrent de lui conseiller une autre approche que les flammes des bûchers pour régler le problème de la réforme en Angleterre. Mais Philippe quitta l'Angleterre pour vaquer aux affaires de l'Empire : Charles Quint, épuisé, avait abdiqué en faveur de son fils et décidé de se retirer dans un couvent.

En épousant Mary Tudor, Philippe comptait mettre l'Angleterre de son côté dans sa lutte contre les Français, et c'est effectivement ce que craignait une large majorité d'Anglais. Leurs craintes se justifièrent lorsque les hostilités reprirent entre l'Espagne et la France. Philippe retourna en Angleterre pour chercher du secours et Mary entraîna son pays dans le conflit. Le 7 juin 1557, elle envoya « par un héraut d'armes signifier la guerre au roy [Henri II], et se déclarer son ennemi ». Les Français perdirent Saint-Quentin puis se vengèrent en reprenant Calais. Le port était resté aux mains des Anglais depuis 1348. Au grand mécontentement des Anglais s'ajouta soudain la peur : le choc causé par la perte de Calais fut tel qu'ils craignaient de voir à tout moment débarquer sur leur sol les armées du roi de France. Or comment faire la guerre sans argent ?

Dans sa folie religieuse, Mary avait consacré des sommes énormes à l'Église et négligé tout le reste. Les fortifications étaient sans armes, les navires impropres au service, la côte sans défense. Philippe II, de retour auprès de la reine, proposa de reprendre Calais avec une armée composée d'Espagnols et d'Anglais, mais le Conseil lui fit savoir qu'il était trop tard et que l'urgence était maintenant de protéger le royaume d'une possible invasion. À tous les pairs, chevaliers et gentilshommes dont les revenus dépassaient mille livres, il fut demandé de fournir seize chevaux, tout équipés pour la guerre, trente arcs avec carquois et flèches, et autant de hallebardes, casques, corselets et arquebuses que possible. À tous les sujets anglais, en ordre descendant, il fut aussi demandé, selon leurs revenus, de s'armer eux-mêmes ou d'en armer d'autres.

Et puis Mary se crut à nouveau enceinte. Mais une fois encore, il s'agissait d'une grossesse nerveuse. Elle finit par se résigner, tomba réellement malade et mourut le 17 novembre 1558. Son règne, bien que court, fut désastreux pour l'Angleterre – et pas seulement parce qu'elle fit retourner le royaume dans le giron du pape. Sa politique étrangère coûta cher. Au lieu d'accroître la grandeur de l'Angleterre par son mariage avec Philippe II, elle fut responsable de la perte de Calais, dernière possession en France, à laquelle les Anglais tenaient tant. Elle se sentait plus Aragon que Tudor ; elle se montra en vérité plus espagnole qu'anglaise. Elle ne comprit jamais le pays dans lequel elle était née, ni le peuple qui était le sien par héritage.

Elizabeth, délivrée de sa « geôle » de Woodstock, vivait alors à Hatfield, dans le Hertfordshire, château qu'elle avait acquis en 1549, et qui était sa résidence favorite. La fille d'Anne Boleyn et de Henry VIII recueillit ce jour-là la succession. La veille de son couronnement, lorsqu'Elizabeth traversa Londres, elle fut saluée, par la foule massée sur son passage, comme la nouvelle Déborah, prophétesse et juge d'Israël, qui donna au pays quarante années de repos. Et c'est bien ce qu'elle fit.

II

La nouvelle Déborah

L'affaire Seymour

Elizabeth avait vingt-cinq ans au moment de son couronnement. Son portrait montre qu'elle avait les cheveux auburn de son père, les yeux noirs de sa mère, le teint pâle et un nez un peu long. Elle était extrêmement intelligente et cultivée. Les événements qu'elle avait subis, les expériences qu'elle avait vécues, lui avaient commandé la prudence, voire la duplicité. Rares étaient ceux qui pouvaient se targuer de connaître vraiment le fond de sa pensée.

Lorsqu'elle apprit la mort de sa demi-sœur Mary, Elizabeth se serait écriée, citant le psaume 118 : « C'est du Seigneur que cela est venu : c'est une chose étonnante à nos yeux. » Peu crédible, même si l'étude de la Bible faisait partie de son éducation ; on dit même qu'elle étudiait le Nouveau Testament en grec tous les matins, avant de s'attaquer à Sophocle, Isocrate ou Cicéron. Son avènement donna lieu à des réjouissances à travers tout le pays. Des feux de joies furent allumés pour rendre grâce à Dieu et des tables dressées dans les rues pour que le peuple pût festoyer. À York, lorsque l'avènement fut proclamé, son nom fut salué comme celui d'une « véritable » souveraine anglaise, « sans trace de sang espagnol ». À la Chambre des lords comme aux Communes, on s'interrogeait toutefois : quelle allait être la politique religieuse de la reine ? Le problème religieux était assurément le premier à régler. Allait-on revenir à une *via media* ou poursuivre les réformes mises en place sous Edward VI et aboutir ainsi à une réforme en profondeur de l'Église d'Angleterre ? Son éducation avait été le fait, comme celle du jeune Edward, de savants protestants ; suite à la mort de son père, elle avait vécu chez Catherine Parr, après que celle-ci se fut remariée avec Thomas Seymour ; or nul n'ignorait les sentiments du couple en faveur de la Réforme.

Une autre question préoccupait les membres du Parlement : qui la reine épouserait-elle ? Car il lui fallait se marier sans tarder afin de donner à la couronne des héritiers. Avant d'aborder le problème de la religion, les membres des Communes, en fait, parlèrent mariage. Une délégation présenta une pétition dans laquelle ils demandaient que la reine se mariât rapidement et épousât de préférence un Anglais.

Thomas Seymour, Grand Amiral et grand séducteur, avait espéré qu'il serait l'élu de la princesse. Avant d'épouser Catherine Parr, il avait fait à Elizabeth une cour pressante, lui écrivant des billets doux pour confesser sa flamme. Mais la jeune Elizabeth le tint à distance. Se méfiait-elle de Seymour ? Le fait est qu'il se conduisit avec une familiarité parfaitement choquante lorsqu'elle vécut avec le couple. Catherine et Elizabeth partageaient la même soif d'apprendre et leur cohabitation fut harmonieuse. Seulement, le

Grand Amiral agit comme un coq dans une basse-cour, au point que des ragots parvinrent aux oreilles du *Lord Protector* Somerset qui demanda à Elizabeth des explications sur ses rapports avec Thomas Seymour. On racontait qu'il se rendait dans sa chambre au petit matin, ne portant que ses chausses, et se glissait parfois dans son lit ; et que si elle était déjà debout mais pas encore habillée, il lui donnait des petites tapes sur les fesses. Catherine se serait jointe à ces jeux malsains. Même en tenant compte des familiarités que l'on pouvait se permettre au XVIᵉ siècle, on reste confondu. Obligée de s'expliquer, la princesse Elizabeth déclara qu'elle avait su préserver son honneur : « Ma conscience me rend témoignage. [...] Je sais que j'ai une âme à sauver, tout comme les autres, et je m'en préoccupe par-dessus tout. »

Comment Catherine avait-elle pu supporter cela ? Il est vrai qu'elle était tombée enceinte peu après son mariage ; on peut supposer que cette grossesse, la première, avait obscurci son jugement. En tout cas, elle se ressaisit et, estimant que les choses allaient trop loin, envoya Elizabeth chez son ancienne gouvernante, Kate Ashley. Plus tard, Elizabeth parlerait de l'Amiral comme d'un homme doté « de beaucoup d'esprit et de peu de jugement ». Thomas Seymour était populaire. Après son coup d'État manqué contre son frère et l'exécution de ce dernier, l'évêque Latimer, ténor du nouveau règne, jugea bon de le vilipender du haut de la chaire : le *Lord Admiral* était un débauché, un athée qui doutait même de l'immortalité de l'âme et un traître. Elizabeth, dit-on, pleura fort la mort de Seymour. Mais la même question se pose depuis plus de quatre cents ans : Seymour abusa-t-il d'Elizabeth au cours de leurs jeux ? Fut-il son premier amour ? Ou bien au contraire, les familiarités du *Lord Admiral* provoquèrent-elles chez elle un dégoût des hommes ? Peu probable. Les prétendants se pressèrent, tout au long de son règne. Certes, elle les repoussa tous, mais non sans jouer les coquettes, et elle se montra très familière avec ses favoris. Avec Philippe II, qui fit sa proposition avant même le couronnement, ce fut un non ferme et définitif, ce qui ne l'empêcha pas, devant son entourage, de clamer bien haut combien lui plaisaient les lettres d'amour qu'il lui envoyait. Chaque fois qu'un membre de son conseil privé ou du Parlement parlait de son éventuel mariage, elle répondait invariablement que son intention était de rester vierge. Se posait la question de l'héritage.

Le « monstrueux gouvernement des femmes »

Les Anglais en exil, à Francfort et à Genève, ceux que l'on appelle les *Marian exiles*, saluèrent avec une joie sans pareille l'arrivée au pouvoir d'Elizabeth. Enfin, ils allaient pouvoir retourner au pays et établir la « vraie » religion par tout le royaume. Ceux de Genève laissèrent une littérature de combat, ainsi qu'une Bible en anglais dont les commentaires montrent l'influence des idées calviniennes. Assurément, les persécutions endurées sous Mary Tudor les fortifièrent dans le principe réformé du *Sola Gracia,*

Sola Fide, Sola Scriptura, et ils n'eurent aucun mal à trouver dans les Écritures des situations et des personnages auxquels ils pouvaient se référer et s'identifier, surtout dans les textes prophétiques. C'est à un prophète de l'Ancien Testament que se compare ainsi John Knox l'Écossais : son combat contre « les orgueilleux et cruels hypocrites » de son temps était le même que celui mené contre « les faux prophètes et l'Église de leur temps ».

En lisant les Écritures, Knox s'était convaincu que l'accession d'une femme au pouvoir était contre l'ordre divin. Il s'en était ouvert à Bullinger et à Calvin. Les deux réformateurs avaient répondu en citant le cas de Déborah pour montrer que Dieu pouvait parfois faire des entorses à l'ordre naturel et élever au pouvoir une femme qui serait « un grand bienfait ». Bullinger lui avait recommandé la prudence. Mais Knox ignorait la prudence et, dans un pamphlet virulent, sonna la trompe, en 1558, contre le « monstrueux gouvernement des femmes ». Bien sûr, il visait Marie de Hongrie, qui avait été régente aux Pays-Bas sous Charles Quint, Marie de Guise, reine régente d'Écosse depuis 1542, et surtout Mary Tudor, dite la Sanglante. Il n'empêche qu'il y avait dans son manifeste des passages franchement désobligeants pour toute femme au pouvoir. Il avait ainsi écrit :

> Permettre à une femme d'exercer le moindre gouvernement, la moindre supériorité, seigneurie ou empire sur tout royaume, nation ou cité, est contre nature, et constitue une insulte à Dieu, une chose tout à fait contraire à sa volonté révélée et à ses commandements, et pour finir, une subversion de tout ordre, équité et justice.

Lorsqu'il voulut se rendre en Écosse, en 1559, il lui fut interdit de traverser le sol anglais tant Elizabeth s'était sentie outragée par son pamphlet ; et ses tentatives pour regagner ses faveurs furent sans effet. Il est vrai que l'incorrigible Knox, dans la lettre qu'il lui adressa pour lui demander le passage, laissa entendre qu'elle ne devait son accession au trône qu'à un « miraculeux travail de Dieu », qu'elle ne devait pas prendre autorité de sa naissance et se contenter d'être semblable à « cette mère bénie d'Israël », Déborah. Pour Elizabeth, qui s'efforçait de renforcer sa position auprès du Parlement tout en remettant le pays à l'heure protestante, les conseils de Knox étaient mal venus. Déjà, le premier Parlement lui avait refusé le titre de Chef suprême de l'Église d'Angleterre et elle avait dû se contenter de celui de *Supreme Governor*.

Le Parlement avait adopté deux lois fondamentales pour l'Angleterre : l'Acte de suprématie – qui coupait définitivement les liens avec la papauté – et l'Acte d'uniformité – qui faisait de l'Église anglaise une Église protestante. La « non-conformité » serait dorénavant interprétée comme un manque de « loyauté » à la couronne. Tous les évêques qui siégeaient à la Chambre des lords s'opposèrent à l'Acte d'uniformité ; mais, aux Communes, il n'y eut que peu d'opposition. Le 12 mai 1559, le nouveau service religieux anglais eut lieu dans la chapelle de la reine, montrant ainsi à tous que le royaume et la reine, désormais, vivraient à l'heure protestante. À contrecœur, Elizabeth avait accepté le *Livre de prière commune* de 1552 avec quelques modifications, dont l'une portait sur le port des vêtements sacerdotaux. Ce qui peut apparaître comme un point de détail allait par la suite occuper le centre des querelles entre les conformistes et les anticonformistes au sein de l'Église d'Angleterre. À contrecœur également, elle avait accepté le mariage pour les ecclésiastiques. Elizabeth était en religion pour un protestantisme modéré, mais, faute de candidats suffisamment pieux et érudits, elle dut remplacer les évêques catholiques par des protestants zélés revenus d'exil. Écartant les « extrémistes » de Genève, trop calvinistes aux yeux d'Elizabeth, on puisa plutôt dans les exilés de Francfort. La reine, certes, s'opposa toujours à la messe, mais elle aimait la pompe et la splendeur de la vieille religion, et elle entendait ne pas s'en priver. De leur côté, les évêques recrutés, protestants convaincus qui bénéficiaient du patronage de quelques hauts personnages, tout en manifestant un grand esprit de fidélité et de discipline, comptaient maintenir fermement l'Église dans la ligne réformée. Aussi bien ne firent-ils pas grand-chose pour freiner la montée du puritanisme dans leur diocèse car la plupart souhaitaient une réforme plus affirmée que celle voulue par la nouvelle reine. Il nous faut préciser que les puritains doivent être vus comme un courant réformateur de l'Église établie, et si ce nom leur fut donné par leurs détracteurs, nous l'employons ici sans aucune connotation péjorative. Le bras de fer entre la reine et les puritains, en tout cas, ne fut pas l'affaire de quelques mois mais de tout son règne et se poursuivit et même s'intensifia sous les Stuarts.

Un premier épisode fut la guerre des Bibles. Pour répondre à l'engouement des Anglais pour les

Écritures et contrebalancer l'influence de la Bible de Genève, le nouvel archevêque de Canterbury, Matthew Parker, partisan comme la reine d'un protestantisme modéré, fit mettre en chantier une version « autorisée » de la Bible en anglais qui fut confiée à une quinzaine d'évêques. Mais la *Bishop Bible*, publiée en 1568 pour concurrencer la Bible de Genève, ne put être achetée que par une élite car une situation de monopole la maintenait à un prix très élevé. La *Geneva Bible* resta donc le livre de référence des Anglais et, entre 1560 et 1644, connut au moins 140 éditions. Il n'y avait rien dans les notes de la Bible de Genève qui pût offenser un monarque. Néanmoins, les annotations déplurent à la reine, de même que l'épître dans laquelle les traducteurs crurent bon de rappeler à leur « Zerubbabel », ainsi qu'ils appelèrent Elizabeth, qu'elle tenait sa position de Dieu qui, dans sa grande miséricorde, l'avait arrachée de la gueule des lions pour lui confier la charge de reconstruire le Temple, et que ce Temple ne devait avoir pour fondation que la Parole de Dieu. Il lui fallait donc éradiquer toute trace d'idolâtrie – lire : toute trace de la vieille religion – et cela, Elizabeth n'était pas prête de le faire.

Les premières mesures

En réponse au pamphlet de Knox, John Aylmer, l'archidiacre de Stow, ancien professeur de grec de lady Jane Grey, prit sa plume pour chanter les bienfaits d'un régime féminin. Il affirma que la succession au trône était une forme d'héritage, que c'était

Dieu, en fin de compte, qui choisissait le monarque, que le gouvernement d'une femme pouvait être exceptionnel et bénéfique et qu'en ce qui concernait l'Angleterre, il n'y avait pas lieu de s'inquiéter étant donné que la monarchie était parlementaire : ce serait moins la reine qui gouvernera, que le Parlement en son nom, affirma-t-il. Elizabeth, naturellement, était persuadée du contraire : elle gouvernerait et le Parlement exécuterait. L'histoire lui donna tort et l'idéal d'un juste milieu qu'elle tenta de mettre en place fut pendant tout son règne bousculé par les passions des uns et des autres.

L'une des premières décisions prises par la jeune reine se révéla particulièrement heureuse. Elle choisit William Cecil comme plus proche conseiller. Cecil, fin lettré qui avait enseigné le grec pendant six ans à Cambridge, avait été secrétaire d'État sous Somerset et sous Northumberland, puis écarté par Mary. Bien qu'attaché aux valeurs de la Réforme, il avait pu éviter le bûcher en se conformant aux ordonnances royales, passant le plus clair de son temps dans sa maison de Wimbledon. Mais, durant le règne de Mary, il avait été en contact avec Elizabeth, et s'était même occupé de ses biens. La reine choisit également avec sagacité son conseil privé, n'hésitant pas à conserver quelques catholiques dont elle appréciait la fidélité à la couronne. Les deux tiers furent néanmoins des hommes nouveaux.

Une fois la question religieuse réglée, il fallait s'occuper de la politique étrangère. Au moment de la mort de Mary, des pourparlers de paix étaient en cours avec le roi de France au sujet de Calais. Paix humiliante pour les Anglais : le traité du Cateau-Cambrésis de 1559 sauva tout juste la face de l'Angleterre en ne donnant Calais à la France que pour une durée de huit ans ; après quoi, la ville pourrait être rachetée ou rendue. L'Espagne, dans ces pourparlers, n'avait que du bout des lèvres défendu les intérêts anglais.

Avec l'Écosse, Cecil réussit un coup de maître. À l'été de 1559, la régente Marie de Guise avait dû faire face à une révolte aristocratique dont le motif était l'instauration du protestantisme dans le royaume. Or la rébellion ne pouvait réussir sans l'aide de l'Angleterre. William Cecil voulait en profiter pour proposer aux Écossais : soit une paix perpétuelle avec l'Angleterre, soit l'« union de l'Écosse avec l'Angleterre sous un même souverain puisqu'elles formaient une seule île séparée du reste du monde ». Plan audacieux et risqué que la reine n'accepta qu'après avoir été longtemps « cajolée » par son secrétaire. Il manqua démissionner. Finalement, la reine céda, envoya de l'argent aux rebelles, et soutint même militairement James Hamilton, comte d'Arran, en envoyant des troupes. Une série de circonstances, dont la mort de la régente Marie de Guise et celle d'Henri II, permit à Cecil de signer le traité d'Édimbourg qui prévoyait, entre autres, la renonciation aux titres de roi et reine d'Angleterre et d'Irlande du nouveau roi de France, François II, et de son épouse la reine Mary Stuart. Ce fut une victoire décisive, peut-être la plus importante du règne de la reine Elizabeth, car elle mit fin définitivement à l'hégémonie française en Écosse. Ce fut une victoire pour la cause protestante également. Mais elle ne satisfit pas Elizabeth. Ce fut toujours à contre-cœur qu'elle soutint des rebelles, quel que fût le régime contre lequel ils luttaient : les protestants français, comme les protestants des Pays-Bas en firent le constat amer.

La politique habile suivie par Henry VIII avait permis à l'Angleterre de mener souvent le jeu. Mais les acteurs sur le théâtre européen avaient changé : le besogneux Philippe II avait remplacé Charles Quint ; sur le trône de France régnait un roi fragile de 16 ans, auquel succéda en 1560 un enfant-roi, Charles IX, et donc, une régente, ou plutôt une « gouvernante de France », Catherine de Médicis ; et une famille redoutable fit son apparition sur la scène européenne : les Guises qui apportèrent un soutien sans faille à Mary Stuart et aux catholiques. Or la jeune Mary, décidée à tenir tête aux Anglais, refusa de confirmer le traité d'Édimbourg.

Lord Robert

Pour William Cecil, il devenait urgent de marier la reine. « Que Dieu envoie à notre maîtresse un mari, qu'il lui fasse un fils, et que nous puissions avoir une succession masculine pour la postérité », écrivait-il à Nicholas Throckmorton, ambassadeur auprès de la cour de France, le 14 juillet 1561.

Les prétendants ne manquaient pas à Elizabeth qui, pressée par Cecil, répondait invariablement qu'elle attendait que Dieu lui fît connaître clairement sa volonté. Elle passait alors beaucoup de temps avec Robert Dudley, un des fils de Northumberland. Elizabeth fut indubitablement très attirée par lui. Elle parlait sans cesse de lui, vantant ses vertus et son physique avantageux ; elle le couvrait de faveurs et de cadeaux, partait chasser avec lui et le fit même emménager dans un appartement mitoyen du sien, si bien que la cour jasa. William Cecil, que les rumeurs inquiétaient, s'efforça de faire taire les mauvaises langues en mettant en avant les relations fraternelles qui existaient entre Elizabeth et Dudley depuis l'enfance. Ensemble ils avaient traversé des épreuves, ayant été enfermés à la Tour en même temps. Le beau Dudley était charmeur, excellent cavalier et jouteur, et marié. Mais le 2 septembre 1560, sa femme, Amy Robsart, se tua en tombant dans un escalier. Accident ou meurtre ? On s'interrogea. Les rumeurs sur les amours de la reine et de lord Robert avaient gagné la France : on disait qu'elle allait l'épouser et que c'était la raison pour laquelle elle avait refusé Philippe II, l'archiduc Charles d'Autriche, le roi de Suède, et quelques autres dont l'Écossais James Hamilton.

Dudley, devenu veuf, aurait-il pu épouser Elizabeth ? Sans doute pas car le scandale autour de la mort de sa femme fut tel que la reine risquait d'en être éclaboussée. Et puis le personnage était controversé. Le mariage aurait divisé l'Angleterre. Dudley fit un jour cette confidence : « Je la connais depuis l'âge de huit ans, mieux qu'aucun homme sur cette terre ; elle a toujours déclaré qu'elle ne se marierait jamais. » Mais il est clair qu'il espérait qu'elle changerait d'avis en sa faveur puisque : « Souvent femme varie. » Ce qui est certain, c'est qu'il attendit plusieurs années avant de se remarier, et que son remariage rendit Elizabeth folle furieuse. L'histoire des Dudley et celle des Tudors étaient mêlées comme les fils d'une toile. Depuis le règne de Henry VII, les Dudley avaient participé à la politique royale. Lord Robert allait jouer jusqu'à sa mort un rôle important dans les affaires anglaises, ainsi que sur les terrains minés des conflits en France et aux Pays-Bas. Bon protestant, il apporta un soutien sans faille aux puritains, se faisant leur avocat auprès de la reine, prenant le risque de lui déplaire, sans doute parce qu'il eut toujours très confiance en son pouvoir de séduction. Mais gourmandée par William Cecil, la reine Elizabeth avait su calmer ses émois et, reine avant d'être femme, elle offrit même Dudley à sa cousine Mary, le faisant baron de Denbigh et comte de Leicester pour le rendre plus présentable aux yeux des Écossais. Ensuite, elle fit traîner les choses tandis que Mary Stuart s'enflammait pour l'homme qui causa tous ses malheurs à venir : lord Darnley. Car contrairement à Elizabeth, la belle Mary Stuart représente l'aspect négatif d'une royauté au féminin.

12

La Reine vierge

L'appel des huguenots

La France était en guerre. Catherine de Médicis, dans un effort louable pour tenter une réconciliation entre les sujets catholiques et les sujets protestants, de plus en plus nombreux, avait organisé un colloque à Poissy. Il avait échoué, les réformés n'ayant pu trouver un terrain d'entente avec les luthériens sur le concept de l'eucharistie. Néanmoins, en cette année 1561, il semblait aux observateurs étrangers que Catherine de Médicis se laissait emporter par le courant qui entraînait une partie de la population vers le protestantisme. C'était sans compter avec les Guises. Opposé à la nouvelle politique de tolérance menée par Catherine de Médicis, François de Lorraine, duc de Guise, fit massacrer, à Wassy, petite ville de Champagne, des familles protestantes qui célébraient paisiblement leur culte dans une grange. Quand il arrêta le carnage, quelque soixante cadavres et une centaine de blessés gisaient au sol. Ce massacre avait provoqué une prise d'armes des protestants dont le prince de Condé et l'amiral de

Coligny tinrent la tête. Ainsi commença la première guerre de Religion.

En Angleterre, on suivait de près les événements. La reine était tenue au courant par Cecil, lui-même en contact permanent avec Throckmorton. Cecil craignait fort de voir les protestants écrasés, et l'Espagne profiter du triomphe papiste pour étendre son pouvoir sur le continent, soutenir des révoltes en Irlande et en Écosse et, pourquoi pas, en Angleterre. Il voyait dans les catholiques anglais une sorte de « cinquième colonne ». Cecil le dit et le répéta : l'intérêt de l'Angleterre était de soutenir les protestants français. Il pensait aussi pouvoir tirer profit de la situation en les amenant à leur livrer Calais, Dieppe, Le Havre, voire les trois places ensemble. Throckmorton conseillait de ne pas brusquer les choses et d'attendre le bon moment. Il écrivait à Cecil, le 17 avril 1562 :

> [L]'occasion s'en présentera plus naturellement lorsqu'ils nous demanderont assistance et surtout lorsque le prince de Condé et les protestants s'apercevront que les papistes introduisent des étrangers en France et donnent au roi d'Espagne un intérêt dans toutes les affaires.

Les huguenots ne se décidèrent à faire appel à des troupes étrangères que lorsqu'ils virent que c'était pour eux une question de vie ou de mort. Leurs envoyés vinrent alors trouver la reine « avec toute humilité et pitoyables lamentations à grosses larmes ». Elizabeth ne voyait que son intérêt qui était de reprendre Calais et d'abattre la puissance des Guises. Le traité d'assistance entre les huguenots et la reine d'Angleterre, signé en septembre 1562 à Hampton

Court, stipulait que l'Angleterre occuperait Le Havre jusqu'à la restitution de Calais. En contrepartie, elle promettait l'envoi de 6 000 hommes et un prêt de 100 000 couronnes. Robert Dudley avait fortement défendu la cause protestante auprès d'Elizabeth, et son frère Ambrose, comte de Warwick, commanda les troupes qui débarquèrent au Havre le 4 octobre. De même que Condé et Coligny clamèrent haut et clair qu'ils ne combattaient pas le roi mais bien au contraire défendaient les Valois, de même Elizabeth avait fait savoir à son bon cousin Charles IX qu'elle volait à son secours, en envoyant des troupes, pour le préserver « du danger et de la ruine ».

Les combats furent âpres, les atrocités nombreuses. Condé conclut une mauvaise paix qui ne régla rien, et la réconciliation des Français se fit contre l'Angleterre. Forte de son droit, Elizabeth refusa de quitter Le Havre. Les Français, le prince de Condé en tête, récupérèrent le port par les armes, et avec l'aide de la peste qui avait décimé le corps expéditionnaire anglais. Elizabeth en garda une rancune tenace contre les protestants du continent, d'autant que, du fait du traité de paix signé avec la France à Troyes, le 11 avril 1564, l'Angleterre perdait définitivement Calais.

Où l'on reparle de Mary Stuart

La paix de Troyes prévoyait, pour la France comme pour l'Angleterre, l'interdiction de porter secours à des sujets rebelles dans l'un ou l'autre des royaumes et garantissait la liberté du commerce.

Mais c'en était fini du rêve d'un royaume d'Angleterre et de France, héritage des Plantagenêts. Restait la possibilité d'un mariage, pour Elizabeth, avec un des princes Valois, malgré la différence d'âge et la question religieuse. Seulement, la reine éludait toujours la question et le problème de la succession restait entier.

En 1562, Elizabeth avait failli mourir de la petite vérole. Sa constitution robuste lui avait permis de se remettre rapidement, mais Cecil et le conseil s'inquiétaient car Mary Stuart clamait à qui voulait l'entendre qu'elle était l'héritière la plus proche, ce qui était vrai. Katherine Grey, la sœur de Jane, aurait été une candidate possible à la succession si elle n'était tombée amoureuse d'Edward Seymour, comte de Hertford, fils de Somerset. Une loi de 1536 établissant comme haute trahison une union avec un membre de la famille royale sans le consentement du souverain, Katherine avait demandé la permission à la reine de l'épouser. Elizabeth le lui avait interdit. Alors elle épousa Seymour en secret. Lorsqu'elle apprit la grossesse de Katherine, Elizabeth fut si furieuse qu'elle la fit enfermer à la Tour de Londres, ainsi que Seymour, et, pour discréditer la jeune femme, prétendit qu'il n'y avait pas eu de mariage, donc que l'enfant, un garçon, était illégitime. Contrevenant aux ordres d'Elizabeth, le lieutenant de la Tour leur permit de vivre ensemble comme mari et femme. Ainsi, en 1563, Katherine mit au monde un autre enfant mâle. Elizabeth la fit alors placer en résidence surveillée chez son oncle, lord John Grey. Elle mourut chez ce dernier en 1568.

Katherine avait une jeune sœur, Mary, dernière en ligne de succession. Le scénario se répéta : Mary épousa en secret l'homme qu'elle aimait, un certain Thomas Keys, de Folkestone, de vingt ans son aîné et d'un rang très inférieur au sien. Lorsqu'Elizabeth l'apprit, elle la fit enfermer dans diverses maisons nobles, la séparant de son mari, lequel fut jeté en prison. Mary Grey ne retrouva sa liberté qu'à la mort de Keys. Une explication de ce comportement impitoyable est peut-être qu'Elizabeth, ayant sacrifié pour raison d'État l'homme qu'elle aimait, Robert Dudley, trouvait juste que Katherine et Mary Grey en fissent autant. Une autre explication, moins noble, serait qu'au fil des ans Elizabeth, déterminée à ne pas se marier pour des raisons politiques et personnelles, développa, comme le souligne G. R. Elton, deux caractéristiques déplaisantes de la « vieille fille » : le besoin de jouer les jouvencelles, parée et fardée ; et une jalousie pernicieuse envers les femmes jeunes qui avaient trouvé un mari. Aussi bien, renvoyat-elle systématiquement toutes ses filles d'honneur qui souhaitaient se marier.

Les sœurs Grey écartées, il restait Mary Stuart la catholique. Disons-le, la reine des Écossais n'eut pas besoin d'Elizabeth pour mettre fin à son bonheur conjugal : son mari s'en chargea lui-même. Mary était jolie et savait utiliser à merveille son pouvoir de séduction. Elle laissa une image romantique qui masque en partie la vérité : elle était toujours prête à comploter, à intriguer, à suivre ses sens plus que sa raison ; on ne peut qu'admirer la patience de la reine Elizabeth à son égard. Le mariage entre Mary et lord Darnley, un Anglais au caractère instable, brutal, alcoolique et catholique de surcroît, alarma Cecil. On pouvait craindre un mouvement de contre-réforme en Écosse. Il dépêcha Throckmorton auprès de Mary pour lui faire comprendre que ce mariage serait « peu convenable, peu profitable, et mettrait en péril l'amitié sincère entre les reines et leurs royaumes ». Mais Mary était amoureuse du jeune Darnley et ne tint aucun compte de ce sage conseil. Les *Lairds* protestants rassemblèrent leurs forces et appelèrent Elizabeth à l'aide. La reine se contenta d'envoyer de l'argent : tout en les encourageant en sous-main à se rebeller, elle refusait de partir ouvertement en guerre contre Mary.

La mésentente s'installa rapidement entre Mary et Darnley, qu'elle avait épousé sur un coup de tête. Pour se distraire, elle fit venir auprès d'elle un maître de musique piémontais, David Rizzio, qui sut si bien entrer dans ses bonnes grâces que Darnley en ressentit haine et jalousie. Au mois de mars 1566, il pénétra dans ses appartements avec un groupe de cavaliers et fit poignarder Rizzio sous les yeux de la reine, elle-même menacée d'un pistolet. Trois mois après cet événement dramatique, Mary mettait au monde un fils prénommé James. En apprenant la nouvelle, Elizabeth aurait dit, amère : « La reine d'Écosse vient de donner le jour à un fils et moi, je ne suis qu'une branche stérile. »

Crime passionnel ou politique ? On peut éventuellement trouver derrière ce meurtre la main d'agents anglais ou de protestants écossais qui voyaient en Rizzio, outre un séducteur, un agent papiste dangereux – et qui espéraient que son meurtre provoquerait la rupture du couple. Cecil et Leicester étaient au courant du complot mais ils n'en avaient pas parlé à Elizabeth. L'assassinat du maître de musique la révulsa parce qu'il avait eu lieu en présence de Mary et, peu après, devant l'envoyé espagnol Guzman de Silva, qui lui avait demandé audience, elle porta avec ostentation une ceinture à laquelle pendait, au bout d'une chaîne, le portrait de la reine des Écossais. Elle lui dit qu'à la place de Mary, elle aurait arraché à son mari sa dague et l'en aurait poignardé, ajoutant plaisamment qu'il ne fallait pas pour autant qu'il pensât qu'elle ferait cela à l'archiduc Charles si elle l'épousait.

Mary Stuart nomma James Hepburn, comte de Bothwell et Grand Amiral d'Écosse, *Lord Protector*. Il séduisit la reine et l'épousa après que Darnley eut été retrouvé mort, assassiné. Mary avait commis une erreur de trop. Ce fut le tollé non seulement en Écosse et en Angleterre mais dans toutes les cours européennes. Bothwell fut arrêté, ses biens confisqués par le Parlement d'Édimbourg, et la reine incarcérée au Loch Leven Castle. Les *Lairds* protestants l'obligèrent à abdiquer en faveur de son fils, âgé de treize mois. Avec l'aide de ses partisans, Mary parvint à s'enfuir et se réfugia en Angleterre, se mettant sous la protection d'Elizabeth. Pressée par Cecil et Leicester, la reine ne vit d'autre solution que de la maintenir en détention.

Elizabeth s'était tout d'abord montrée affligée par les malheurs de sa cousine et, par écrit, ne lui avait pas ménagé ses conseils, « suite à l'abominable meurtre de [son] époux dément ». Quatre mois plus tard, elle lui écrivait à propos de son remariage avec Bothwell :

Comment pourriez-vous avoir fait choix plus mauvais pour votre honneur, que d'épouser dans la précipitation un sujet que l'opinion publique [...] accuse d'être l'assassin de votre défunt mari ? [...] Par là, vous comprenez ce que nous pensons de ce mariage.

Les mariages de Mary Stuart apportèrent en Écosse confusion, meurtres sordides et affrontements sanglants. En Angleterre, sa présence provoqua le soulèvement des lords du Nord qui voulaient restaurer le catholicisme et donner la couronne à Mary. La rébellion fut rapidement écrasée et quelques têtes tombèrent. Le duc de Norfolk fut arrêté à cause de ses relations avec Mary, bien qu'il ne jouât aucun rôle dans le soulèvement, puis, après un temps d'emprisonnement à la Tour, fut gracié par la reine. Il dut s'engager sous serment à ne plus jamais avoir de rapports avec la reine des Écossais.

Elizabeth et son Église

Les mésaventures en France et l'aide aux Écossais avaient coûté cher à la couronne. À l'automne 1566, Elizabeth réunit le Parlement pour qu'il votât de nouvelles taxes. Elle réclamait une somme de 250 000 livres. Elle trouva les membres des Communes peu coopératifs. Au lieu de voter immédiatement la levée d'impôts réclamée par la reine, ils parlèrent de son mariage et lui demandèrent même qui elle comptait désigner pour lui succéder en l'absence de mariage. La reine était furieuse. Non seulement les membres des Communes outrepassaient leurs droits en parlant de son mariage et de sa succession, mais elle comprit qu'ils ne voteraient pas les nouvelles taxes tant qu'elle ne se serait pas expliquée sur la question de sa succession. Plus grave pour elle fut le fait que les lords spirituels et temporels de la Chambre haute soutenaient les Communes. Elle s'emporta violemment contre ses conseillers, qui la suppliaient d'accéder à leur demande, et se plaignit à Guzman de Silva, qu'elle semblait avoir pris pour confident, de cette ingérence du Parlement dans sa vie privée. Il lui suggéra d'épouser l'archiduc Charles. Elle s'avança à dire qu'elle était prête à donner son accord ; or, de toute évidence, elle n'avait nullement l'intention d'aller jusqu'au mariage. Mais elle avait besoin d'argent. Finalement, après un long bras de fer, elle déclara aux membres des Communes son intention de se marier pour avoir des enfants, car autrement elle ne se marierait jamais. Satisfaits, d'autant qu'elle réduisit d'un tiers la somme demandée, ils procédèrent immédiatement au vote.

Les affaires religieuses provoquèrent également des passes d'armes et entraînèrent beaucoup d'insatisfaction pour Elizabeth. Toutes les Églises protestantes avaient une confession de foi. John Knox rédigea celle d'Écosse ; l'Église d'Angleterre fit exception mais les *Trente-Huit Articles* de 1563, devenus *Trente-Neuf* en 1571, constituèrent sa confession de foi. La hiérarchie épiscopale et une partie du cérémonial catholique furent maintenues, tout en abandonnant l'usage du latin et l'obligation de célibat des prêtres. Du point de vue doctrinal, les articles montrent que cette Église nationale était franchement ancrée dans le protestantisme. Elizabeth, indubitablement protestante, avait toutefois donné son accord à certains articles à contrecœur et elle prit conscience que, dans le domaine religieux, elle avait moins de pouvoir que son père : elle n'était pas, comme Henry VIII, pape en son royaume ; elle gouvernait par l'entremise de ses archevêques et de ses commissaires, et elle se heurtait sans cesse aux puritains, nombreux aux Communes, qui trouvaient les réformes insuffisantes et réclamaient une Église plus conforme à celle des premiers temps du christianisme. Il lui fallut aussi composer avec de hauts personnages du royaume, souvent proches des puritains – ainsi de Leicester, de son frère Warwick ou de William Herbert, comte de Pembroke. Le patronage avait encore toute sa puissance, et le poids des classes moyennes devait être pris en compte ; or c'est parmi elles que se recrutèrent les plus ardents défenseurs d'une Église « purifiée ».

Pour comprendre la Réforme en Angleterre et son développement plutôt pacifique, il faut avoir à l'esprit le fait que, dans l'ensemble, le peuple anglais était modérément protestant ou modérément catholique : les Anglais étaient chrétiens avant tout, et l'aspect éthique de la religion les intéressa toujours plus que le contenu dogmatique. Il n'empêche qu'au sein même de l'Église d'Angleterre, une division entre conformistes et non-conformistes se forma peu à peu au sujet de la liturgie et plus particulièrement du port des vêtements « papistes ». La reine tenait beaucoup au port des vêtements sacerdotaux ; mais, pour garder leurs paroissiens, certains vicaires durent les retirer. D'autres virent une partie de leurs ouailles courir le dimanche vers d'autres paroisses pour éviter de faire le signe de croix, « une superstition papiste ». La reine fut contrainte de légiférer, interdisant aux paroissiens d'aller prier ailleurs que dans leurs lieux de culte attitrés. Elle dut également légiférer contre les « hérésies » en 1560. À en croire certains pamphlets, celles-ci « pullulaient ». Une lettre adressée par l'évêque de Salisbury John Jewell à Bullinger à Zurich confirme l'existence en Angleterre d'une « grande et néfaste moisson d'Ariens, d'Anabaptistes et autres fléaux ». Sur certaines listes dressées par les chasseurs d'hérésie, les papistes figuraient parmi les « sectes abominables ». Plus tard, les Jésuites y furent ajoutés.

La montée des périls

Il y avait eu sous Mary Tudor des persécutions dramatiques, parce que la reine était, en matière religieuse, fanatique. Elizabeth avait certainement assisté à la fin terrible d'hommes et de femmes brûlés sur le bûcher pour avoir professé des idées religieuses non conformes à la doctrine catholique romaine. Elle en gardait un souvenir affreux ; de ce fait, elle se montra résolue à garder de la modération dans la répression, tout en demandant l'obéissance à ses sujets et en exigeant de la part des évêques un serment de fidélité. Il en fut ainsi vis-à-vis des anabaptistes, partout condamnés à mort sur le continent. Dans le décret de 1560, il est seulement exigé que les anabaptistes se conforment aux doctrines de l'Église établie – ou qu'ils quittent le pays, sous peine d'emprisonnement et de confiscation de leurs biens. Pour les protestants anglais, le châtiment du bûcher rappelait le papisme et, dans l'ensemble, tous y étaient opposés. Mais en 1575, en dépit des suppliques réclamant son indulgence qui lui arrivaient de partout, Elizabeth signa l'ordre d'exécution par le feu de deux anabaptistes néerlandais qui s'étaient réfugiés en Angleterre. Les deux hommes furent brûlés à Smithfield, « mourant avec grande horreur et avec cris et gémissements ». Il est vrai que les anabaptistes, dont le mouvement prit naissance en Allemagne, furent à l'origine des désordres sanglants survenus en Saxe en 1525. Ils n'étaient pas seulement des « hérétiques », mais également des destructeurs de l'autorité. Parce qu'ils se prétendaient directement inspirés par l'Esprit saint, rejetaient le baptême des enfants et, surtout, annonçaient le renversement de l'état social, ils furent toujours considérés comme des fanatiques dangereux dont on ne pouvait tolérer la présence. Or, en ce temps-là, les craintes d'un complot contre la reine étaient vives.

Les guerres de Religion qui avaient éclaté en France ne pouvaient d'ailleurs que convaincre la reine d'Angleterre que, pour l'harmonie d'un régime, il fallait une foi unique, celle du prince. Elle n'était pas contre le changement mais voulait que tout se fît dans l'ordre et seulement sous l'autorité royale. L'harmonie ne pouvait naître que de l'uniformité. Or elle avait constaté que l'étude de la Bible pouvait amener les laïcs à exprimer une foi trop personnelle. Les puritains, bien évidemment, étaient visés ; en outre ils étaient soutenus par des prélats qui osaient lui tenir tête. Ainsi, lorsqu'elle voulut supprimer le « *prophesying* », pieux exercice venu de Zurich qui consistait en discussions publiques de textes bibliques, le nouvel archevêque de Canterbury, Edmund Grindal, ancien évêque d'York, lui écrivit le 20 décembre 1576 :

> Je suis forcé, en toute humilité mais avec franchise, de vous dire que je ne peux, en toute conscience et sans attenter à la Majesté de Dieu, donner mon consentement pour la suppression de ces exercices...

Il appela à la rescousse saint Ambroise, qui avait résisté au IVe siècle à l'empereur Théodose lorsque celui-ci voulut interférer dans l'exercice de son autorité spirituelle, puis il supplia la reine de revenir sur sa décision : « Rappelez-vous, Madame, que vous êtes une créature mortelle », lui dit-il. Si Elizabeth détestait qu'on lui parlât de son mariage et de sa succession, elle détestait plus encore qu'on mentionnât sa mort. Grindal paya cher son intrépidité. Il allait dorénavant connaître la disgrâce : six mois plus tard, il était assigné à résidence dans son palais de Lambeth et remplacé par un prélat infiniment plus accommodant, John Whitgift, dont le protestantisme était en parfaite harmonie avec celui de la reine. Ses conseillers n'approuvèrent pas le traitement infligé à Grindal. Le très protestant Francis Walsingham, l'homme des services secrets qui veillait jalousement à la sécurité du royaume, écrivit à Cecil, lord Burghley, qu'il était bien regrettable que « nous continuions à faire la guerre à Dieu » ; le Secrétaire lui répondit que de tels procédés, en effet, ne pouvaient « qu'irriter notre Dieu miséricordieux ». Avec les puritains, le combat se poursuivit tout au long de son règne, ce qui montre combien, mesurée à l'aune des comportements du XVIᵉ siècle, l'Église d'Angleterre fut tolérante, laissant une place plus grande que tout autre Église du continent à l'individualisme et à la réflexion.

13

La reine en son royaume

Une cour rayonnante

La reine Elizabeth fut aimée de son peuple. Peu de monarques anglais connurent une telle popularité en leur royaume. Elle sut jouer de cet amour. Lors de sa première rencontre avec le peuple de Londres en tant que souveraine, elle avait immédiatement conquis les cœurs. Un témoin raconte :

> Devant elle chevauchaient maints gentilshommes, lords et chevaliers, et derrière elle les trompettes en fanfare, suivis des hérauts tous alignés ; Milord Pembroke portait l'épée de la reine et elle suivait à cheval, vêtue de velours pourpre, avec une mantille sur le cou, entourée de gens d'armes. Après elle venait sir Robert Dudley, maître de la cavalerie de la reine, et des soldats armés de hallebardes.

Ce premier rendez-vous avait de la grandeur et de la simplicité. Puis la veille du couronnement, le 14 janvier 1559, la ville de Londres lui offrit le long de son parcours un fabuleux spectacle de tableaux vivants, de danses, de représentations allégoriques. On évoqua l'histoire des Tudors, qui avaient uni les

York et les Lancastre. Un spectacle honora le « vaillant et noble roi, Henry-le-Huitième et la valeureuse reine Anne, mère de notre souveraine, la reine Elizabeth » ; on rappela que Henry avait libéré le royaume de l'emprise du pape. Le dernier tableau montrait comment Dieu avait choisi la reine Déborah comme juge et restaurateur d'Israël après que les Israélites eussent été opprimés par le roi cananéen Yavin. Un enfant remit à Elizabeth une bible en anglais, qu'elle prit et serra sur son cœur.

Ce fut une grande démonstration protestante du soutien de la ville à la nouvelle reine. Dans les églises du royaume, les prédicateurs les plus zélés furent les meilleurs propagandistes du nouveau régime, et ils ne se firent pas faute de le lui faire remarquer lorsqu'elle voulut raccourcir la longueur de leurs sermons et leur imposer un modèle qu'il leur suffirait de lire. Le sermon, rappelons-le, est au centre du service religieux réformé.

De temps à autre, Elizabeth quittait Londres pour se rendre dans un de ses châteaux ; ou pour aller discuter avec les pieux et doctes universitaires d'Oxford ou de Cambridge. Ou encore, elle partait en un gigantesque convoi pour visiter son royaume. Chacun de ses déplacements provoquait la joie du petit peuple et la crainte des nobles gentilshommes de lui déplaire. Ces voyages dans son royaume permettaient à la reine de prendre contact avec les maires et échevins de ses villes, de rencontrer la *gentry* locale ainsi que le menu peuple qui se pressaient pour la voir passer. Chaque ville traversée par le long cortège était pavoisée, et des arcs de triomphe décorés de branches et de feuillage ouvraient sa route. Elle avait, comme son père, le sens du décorum et de la majesté de sa fonction, mais elle savait aussi se rendre populaire et avait le don de la repartie. Elle pouvait même se montrer extrêmement familière – ainsi jurait-elle facilement. Dans ses mémoires, Edward, lord Herbert de Cherbury, raconte qu'il se trouvait un jour dans la salle d'audience lorsque passa la reine ; celle-ci, en voyant ce très beau et très élégant jeune homme, genoux en terre, s'éloigna pour se renseigner, puis revint vers lui, et après un « Mordieu » sonore, lui donna sa main à baiser par deux fois et, lui tapotant doucement la joue, déclara que « c'était fort dommage qu'il se fût marié si jeune ». Plus elle avançait en âge, moins elle supportait qu'on se mariât à sa cour ; son « doux Robin », comme elle appelait parfois Leicester, en était si conscient qu'il épousa en secret sa maîtresse, Lettice Knollys, tant il redoutait une explosion de jalousie de sa part. Bref, elle se montrait parfois insupportable.

De l'avis de tous, contemporains et historiens, la reine Elizabeth était très près de ses sous. Ce qui ne l'empêcha pas de dépenser des fortunes en vêtements et bijoux ni de donner à sa cour une grandeur sans pareille. Ainsi, pour aller à la chapelle, se faisait-elle précéder de deux cents gardes en grand uniforme, de lords portant le sceptre et l'épée royale ; pour les fêtes exceptionnelles, elle n'hésitait pas à faire édifier dans les jardins des salles en bois décorées d'une surabondance de fleurs, de branchages et de tapisseries. Son jardin privé, ceint de murs, resplendissait également de fleurs, d'arbres rares, de bassins et de fontaines. Elle se devait d'être toujours vue dans un cadre somptueux. Aussi bien sa cour passait-elle pour la plus éblouissante d'Europe.

Pour lui plaire, les seigneurs qu'elle visitait montaient des divertissements grandioses. Lorsqu'en 1575 elle se rendit au château de Kenilworth, la demeure du comte de Leicester, le « doux Robin », les festivités durèrent trois semaines et restèrent dans les annales du règne. Kenilworth se trouvait proche de Stratford-upon-Avon, et il est fort possible que le jeune Shakespeare et sa famille aient assisté aux festivités. Dans le *Songe d'une nuit d'été*, en effet, Obéron évoque une chanson qu'il aurait entendu chanter par « une sirène chevauchant un dauphin » ; or la sirène chevauchant un dauphin faisait partie du spectacle offert à la reine. Scènes de cirque, feux d'artifice, jeux d'eaux, ballets, tournois… se succédèrent. Puis les jeux d'eau de la nuit laissèrent la place à des divertissements poétiques : le parc et les bois alentours du château se remplirent de personnages sylvestres qui déclamaient des vers ou entonnaient des chants d'amour qui étaient repris en chœur. Elizabeth aimait la musique et la danse, comme tous les Tudors ; des contemporains racontent que, même à un âge avancé, elle était capable de danser six ou sept gaillardes de suite. Les mascarades empreintes de symbolisme et les déguisements mythologiques montrent l'attrait des Anglais pour l'Antiquité, leur culture humaniste et leur passion pour l'Histoire. Le XVIe siècle anglais fut l'âge d'or de la vulgarisation de livres savants, de traités de morale, de collections de récits de voyage, de « livres de savoir-vivre » et, bien sûr, de traductions de la Bible en anglais. Les joies de la connaissance ne devaient pas rester le privilège d'une élite, disait le savant John Dolman, traducteur de Cicéron. Comment l'air du temps aurait-il pu ne pas donner à l'Angleterre un Marlowe, un Spenser, un Shakespeare ? Le roi Henry VIII avait protégé les Lettres et les Arts. Sa fille en fit autant.

Conseillers et favoris

Avare de ses deniers, Elizabeth le fut aussi des titres et des honneurs qu'elle décerna à ses plus fidèles serviteurs. Elle ne créa que treize lords et quelque trois cents chevaliers durant son long règne. Cecil ne fut anobli qu'après douze ans de loyaux services et Nicholas Bacon, autre fidèle serviteur d'Elizabeth, n'eut jamais droit à la dignité de Grand Chancelier qu'il ambitionnait, bien qu'il en assumât la fonction. Le fait que Cecil demeura Secrétaire d'État après avoir été fait lord Burghley témoigne de l'importance grandissante de ce poste sous Elizabeth. Qui plus est, il occupa également le poste de *Lord High Treasurer*, vacant à la suite de la mort de lord Winchester – et refusé par Leicester –, ce qui fit de lui le ministre de la reine le plus important.

L'entente entre Burghley et la reine Elizabeth fit la force et la grandeur du royaume. Leur partenariat, commencé trois jours après l'accession d'Elizabeth à la couronne, ne prit fin qu'à la mort de Burghley, en 1598, moins de cinq ans avant celle de sa maîtresse. La reine et son Secrétaire avaient nombre de points communs. Tous deux étaient des protestants modérés dans leurs convictions, tenant la religion pour une affaire de conscience qu'ils séparaient du politique. Tous deux agissaient avec pragmatisme et prudence dans les décisions politiques qui engageaient l'Angleterre, et ils prenaient soin des ressources financières limitées de la monarchie. Ils étaient aussi complémentaires. Lord Burghley garda toujours fermement le cap en matière religieuse ou politique, tandis que la reine flottait souvent entre deux courants ; lorsqu'une situation réclamait une réponse claire et rapide, il savait persuader la reine de prendre ses responsabilités. Mais il n'arriva pas toujours à ses fins et souffrit certainement de ses manœuvres dilatoires et tortueuses, mais aussi de son incapacité, parfois, à prendre une décision – un défaut que l'âge ne fit qu'aggraver. Il est vrai que la reine était souvent agitée par des sentiments contradictoires. Ainsi, lors de la révolte des Pays-Bas, elle sympathisait avec les rebelles dans leur lutte contre Philippe II parce qu'ils étaient protestants ; dans le même temps, elle déplorait leur rébellion contre leur prince. De même, son attitude envers les Écossais protestants dans leur lutte contre Mary Stuart montre la difficulté qu'elle eut à les soutenir, alors même qu'elle connaissait le danger que représentait sa cousine pour la couronne et pour elle-même. Ce qu'il faut savoir, c'est que la reine chercha toujours à protéger sa liberté de manœuvre en faisant jouer les rivalités autour d'elle. Néanmoins, face à un Conseil privé uni derrière Burghley, elle était presque toujours obligée de céder.

L'appui de Robert Dudley permit plus d'une fois à Burghley d'emporter la décision. Les protestants rebelles des Pays-Bas comme ceux d'Écosse purent compter sur lui pour les représenter auprès de la reine et il fut incontestablement le soutien le plus constant et le plus solide des puritains du Royaume. Sans doute la flamme de leurs jeunes années s'était-elle éteinte, mais il restait un intime de la reine, même après que celle-ci se fut entichée de Christopher Hatton, membre du Parlement depuis 1571, capitaine de ses gardes du corps l'année suivante, puis membre de son conseil privé en 1578 et enfin lord *Keeper of the Great Seal*. Elle marivaudait avec lui, comme elle le faisait avec Dudley et les bruits d'une relation très intime couraient. On disait aussi qu'il avait gagné ses galons par ses qualités de danseur. Par jeu, la reine donnait des surnoms à ses courtisans. « *Eyes* », yeux, était le surnom de Leicester ; « *Lidds* », paupières, celui de Hatton, « *Spirit* » celui de Cecil, « *Moon* », lune, celui de Walsingham tandis que lady Norris était surnommée le Corbeau ! Hatton envoyait régulièrement à la reine des lettres brûlantes d'amour : « Vous servir, c'est être au Ciel, mais votre absence est pire que les tourments de l'Enfer », lui avait-il écrit un jour. Ce marivaudage faisait partie des jeux du *fin amor*, toujours en vogue, on le voit, à la cour anglaise. Mais cet amour, idéalisé et spiritualisé à l'origine, s'épanouit aussi dans la contradiction ; il pouvait être à la fois pur et charnel, chaste et sensuel. L'homme devait toutefois servir sa Dame de manière totalement désintéressée. Hatton fut le chevalier servant de la reine. Seulement ? On ne le saura jamais. Il fut un conseiller écouté, en religion plus proche de Whitgift que de Grindal, donc moins attentif aux sollicitations des puritains ; mais en politique, pour des raisons de sécurité, il fut un opposant farouche au mariage de la reine avec François d'Anjou, et un partisan résolu de l'exécution de Mary Stuart. En vérité, ses responsabilités au conseil faisaient de lui le garant de la sécurité de la reine et son porte-parole. Hatton et Leicester s'intéressèrent de près aux aventures maritimes de leurs temps et amenèrent même la reine à investir dans les entreprises audacieuses de Francis Drake. L'approbation d'Elizabeth aux opérations de ses corsaires contre les Espagnols variait, du reste, selon qu'elle en tirait profit ou non. Si Drake ou Hawkins revenaient les mains vides, elle entrait dans une grande colère contre eux. Puis généralement pardonnait. Sous la reine Elizabeth, les héros des grands faits d'armes comme ceux de Crécy ou d'Azincourt disparurent pour faire place à des marins/corsaires comme Drake ou Hawkins, ou des explorateurs comme Raleigh, et la marine, après la défaite de la Grande Armada, devint le fer de lance de l'Angleterre et fit sa gloire.

Walter Raleigh peut être compté parmi les favoris de la reine. Gentilhomme humaniste par excellence, poète, navigateur hardi, corsaire, il conquit rapidement le cœur d'une Elizabeth vieillissante, connut un moment la disgrâce, après avoir épousé sans autorisation une des filles d'honneur de la reine, et fut à l'origine de la première colonisation anglaise en Amérique. Protestant convaincu, il avait combattu en France au côté de l'amiral de Coligny au cours de la troisième guerre de Religion, et joua certainement un rôle dans la politique anti-espagnole menée par la couronne dans les années 1580, même si Elizabeth évita toujours de prendre Philippe II de front.

Néanmoins, en encourageant en sous-main les actions de ses corsaires, qui dépassaient souvent les limites autorisées, elle allait jeter les bases d'un empire, préparer la colonisation de l'Amérique et mettre à mal la grandeur de l'Espagne.

Les fidèles compagnons de la première heure disparurent les uns après les autres. Comme l'écrit très justement Michel Duchein :

> De plus en plus, à partir de 1590, c'est une nouvelle génération qui prend la relève – une génération de « jeunes loups » ambitieux, qui transformera la cour en champ clos de rivalités : Walter Raleigh, George Cobham, Charles Blount, Robert Cecil, Robert d'Essex.

Pour les jeunes loups ambitieux, il fallait approcher la reine, ou approcher celui qui était bien en cour ; les splendeurs de la Renaissance cachaient mal, parfois, les sordides intrigues pour les honneurs et les profits, qui apparaissent comme la raison d'être de la cour en temps de paix. La reine s'enflamma pour Robert Devereux, deuxième comte d'Essex. Elle avait plus de cinquante ans, il en avait une vingtaine. Il était le fils de Walter Devereux et de Lettice Knollys, la seconde épouse de Leicester. Essex était arrivé à la cour en 1584 et agissait avec une insolence et une arrogance d'enfant gâté qui irritait tout le monde. Avec les Cecil, William et son fils Robert, qui le secondait, il se montra particulièrement méprisant. Mais la reine l'aimait et le laissait faire. La nuit, il venait souvent jouer aux cartes avec elle dans ses appartements. Selon un contemporain, Essex ne revenait parfois dans ses appartements « qu'au chant des oiseaux le matin ». Il fut le protégé de Leicester et le rival de Walter Raleigh. Aussi Leicester comptait-il sur son beau-fils pour diminuer l'influence de Raleigh sur la reine. De ces rivalités, Elizabeth, d'évidence, s'amusait.

Les puritains et la vertu du travail

La grandeur de l'Angleterre est aussi le fruit du travail accompli par la « *middle class* », et plus particulièrement par l'aile « radicale » de l'Église d'Angleterre qualifiée de puritaine. Car pour les puritains, qui eux-mêmes préféraient se différencier de leurs frères de l'Église d'Angleterre par le terme de *Godly* – « craignant Dieu » –, le retour au « pur évangile » devait s'accompagner d'une réforme des comportements. La poussée puritaine vint d'ailleurs autant des ministres de la Parole sortis d'Oxford – et surtout de Cambridge – que des laïcs. Attachés à un style de religion « édifiante », que Max Weber qualifie de religiosité éthique, les laïcs eurent une influence très forte sur le mouvement puritain, en poussant le clergé vers une réforme plus radicale, lorsqu'il faisait preuve d'immobilisme. Les puritains formaient une mouvance difficile à cerner, du fait qu'il y avait des « puritains » même parmi les prélats de l'Église d'Angleterre – alors que dans un manifeste présenté au Parlement en 1572, certains proposaient un modèle d'Église chrétienne contrastant fortement avec l'Église élisabéthaine, jugée peu conforme à l'Église primitive. Ils s'élevèrent également contre les « abus papistes » contenus dans le *Livre de prière commune*. Étaient fustigés, entre autres, l'obligation de s'agenouiller pour recevoir la communion, l'utilisation de l'hostie au lieu du pain ordinaire – comme c'était le cas dans les églises presbytériennes ; le baptême en privé, qui ne s'accordait pas avec les Écritures ; les « relevailles » des femmes, une vieille coutume venue du fond des âges ; le service pour enterrer les morts et, naturellement, le port des « vêtements papistes ».

La reine n'hésita pas à suspendre un certain nombre de ministres de la Parole récalcitrants qui ne perdaient pas une occasion de montrer qu'eux seuls prêchaient le pur évangile et de tonner contre les « abominations papistes ». Mais ils avaient de puissants soutiens parmi les membres du Parlement et même, on l'a vu, au conseil privé de la reine. En Angleterre comme dans tous les autres pays européens, il existait un lien important entre le degré d'instruction des laïcs et l'attrait du protestantisme. Le protestantisme eut toujours beaucoup de mal à séduire le « petit peuple » des campagnes et la populace des villes, attachés à des coutumes et des traditions dans lesquelles se mêlaient souvent paganisme et christianisme ; mais il attira un grand nombre d'hommes et de femmes éduqués, capables de lire les Écritures, de les comprendre, de se faire une opinion et de l'exprimer. Le grand théologien élisabéthain William Perkins, les jours de marché, quittait parfois son cocon universitaire de Cambridge pour aller prêcher en plein air, soucieux, disait-il, d'apporter la Parole au « peuple ». Mais, comme on le constate à la lecture de ses ouvrages, et plus particulièrement de son *Traité de la vocation,* ses auditeurs de choix étaient les gens frugaux, pieux, durs à la tâche appartenant à la *middle class*. Plus tard dans le règne, il poussa ce cri d'impuissance :

> Nous autres, prédicateurs, pouvons crier jusqu'à ce que nos poumons explosent, ou se consument à l'intérieur de nous : les hommes restent aussi inertes que des pierres [...] Si donc Élie et beaucoup d'Élie ont parlé à l'Angleterre et que l'Angleterre n'entende pas, que l'Angleterre n'obéisse pas, que l'Angleterre ne se repent pas : prenez garde à ce que le Seigneur aux cieux dise non. Alors l'Angleterre cessera d'entendre la voix des Prophètes parce que je la détruirai.

Perkins aurait voulu rendre le sabbat « saint », c'est-à-dire faire du dimanche un jour entièrement dédié à Dieu ; mais tout en insistant sur l'obligation qu'a le chrétien de consacrer ce jour au Seigneur, il ne perdit aucune occasion de rappeler que Dieu avait l'oisiveté en abomination, et de mettre en avant la nécessité pour tous, quels que fussent leur rang et leurs fonctions dans la société, de travailler selon leur « vocation ». En vérité, il insista tant sur la notion du travail que le « Tu te reposeras le septième jour » du quatrième commandement du Décalogue devint sous sa plume un « Tu travailleras six jours ». À la fin du XVIᵉ siècle, une grande partie des Anglais étaient partisans d'un sabbat « saint » ; mais en bas de l'échelle sociale la résistance était vive, et chez les grands, il y avait des réticences voire des oppositions, à commencer par celle de la reine. Elle voulait une « *merry England* » et c'était justement cette « joyeuse Angleterre » contre laquelle les partisans d'un sabbat « saint » s'élevaient.

Le ciel, affirmait Perkins, appartient aux gens qui se lèvent tôt pour leurs affaires et font fructifier ce qui leur a été donné par Dieu pour le bien commun. Au nom des critères puritains sur les bienfaits du travail, des lois sur les indigents furent passées pour mettre fin à la mendicité et au vagabondage. Perkins et ses collègues auraient voulu aussi améliorer le niveau moral des classes populaires ; les plus idéalistes d'entre eux (ou les moins réalistes) espéraient transformer les ivrognes et les paresseux chroniques en des « craignant Dieu » industrieux. Ils eurent autant de mal à faire des grands des adeptes de la vie frugale et laborieuse, qu'à leur faire accepter de ne plus chasser le dimanche.

Les magistrats de Londres, en revanche, partageaient avec la classe marchande les valeurs « puritaines » et cherchèrent à améliorer la moralité du peuple. Ils s'en prirent d'abord aux théâtres. En 1592, 1594, 1598 et 1597, le Lord-maire adressa une pétition pour faire fermer ces lieux « pernicieux » où l'on ne montrait que « fables profanes, intrigues lascives, artifices de filous et conduites infâmes... ». Pour les puritains et leurs amis, le théâtre – même celui de Shakespeare – était un repaire de fainéants et de pécheurs. Les illusions magnifiques du théâtre donnaient un exemple d'autant plus déplorable, disaient-ils, qu'on y voyait des gueux transformés en seigneurs et portant des habits de soie et de velours. Les moralistes de l'ère Tudor perdirent d'ailleurs la bataille lorsqu'ils combattirent la débauche de soieries, de velours, de bijoux, de plumes dont se couvraient les riches – et parfois les moins riches, quitte à se ruiner.

14

Les grandes manœuvres

Le complot Ridolfi

Pour les Anglais, l'Espagne était désormais l'ennemi numéro un et non plus la France. Ils ne craignaient pas tant une guerre ouverte qu'une conspiration contre la couronne, encouragée par le pape et appuyée par les papistes anglais. Depuis l'excommunication de la reine, en 1570, l'Angleterre se sentait assiégée par une horde d'ennemis. Pie V avait non seulement excommunié Elizabeth, mais relevé les catholiques anglais de leur fidélité à leur souveraine. Tout catholique était donc perçu comme un assassin potentiel et un traître. En vérité, une grande partie des sujets catholiques restaient fidèles à leur reine et à leur pays, étant anglais avant d'être catholiques romains. Seulement des pamphlets violents circulaient dans le royaume, incitant à la révolte contre la reine. En 1571, la découverte du complot Ridolfi conforta les Anglais dans leur méfiance des catholiques et renforça leur mentalité insulaire. Dans le complot étaient impliqués, au côté du marchand italien Roberto di Ridolfi, beau parleur à la tête pleine de chimères, Philippe II, le pape, l'ambassadeur espagnol Guerau de Spes, des agents de Mary Stuart, Mary elle-même, le duc d'Albe, et Thomas Howard, quatrième duc de Norfolk. L'Irlande devait servir de base arrière aux conspirateurs.

Ils étaient convenus de détrôner Elizabeth, de donner la couronne à Mary qui aurait épousé Norfolk. Ce mariage devait s'accompagner d'une insurrection et d'une invasion espagnole venue des Flandres. Le complot éventé, Ridolfi réussit à fuir sur le continent, mais Norfolk fut arrêté et condamné pour haute trahison. Il eut la chance d'être seulement décapité. Il avait clamé son innocence, affirmant qu'il avait en effet rencontré Ridolfi, qu'il avait vu deux lettres du pape, qu'il avait « traité de choses importantes » avec Mary, mais qu'il n'avait pas pris part au complot. De toute façon, il était coupable d'avoir violé son serment, ce qu'il reconnut. Interrogé sur sa conversion au catholicisme, il avoua qu'il avait pendant une courte période rejoint l'Église romaine, mais qu'à présent il était retourné à la « vraie religion ». Il alla tristement et dignement à la mort, devant une foule « en deuil et en pleurs » selon des témoins. Norfolk était aimé pour son caractère doux et aimable. Mais c'était aussi un homme faible et passablement vaniteux, qui s'était laissé entraîner par la promesse d'épouser Mary, dont il était peut-être d'ailleurs sincèrement amoureux ; de l'avis de tous, Mary Stuart avait un charme irrésistible.

Elizabeth avait hésité plusieurs mois avant de faire exécuter Norfolk. William Cecil, lord Burghley, saisit l'occasion du procès pour démontrer le danger que représentaient les catholiques par leur traîtrise,

tout en insistant fortement sur l'entière responsabilité de Mary Stuart dans l'affaire : elle était au cœur
de toutes les conspirations contre la reine Elizabeth.
Les Anglais, dit-il, devaient prier pour leur « mère »,
la reine Elizabeth, afin de ne pas tomber dans les
griffes de cette « marâtre », Mary. Au conseil privé
de la reine, au Parlement et dans l'opinion publique,
on réclama l'exécution de Mary Stuart. Lorsque le
Parlement s'assembla, le 8 mai 1572, un membre
des Communes qualifia Mary Stuart de Clytemnestre,
meurtrière de son époux et adultère ; un autre fit la
comparaison entre les deux reines, l'une « notre souveraine lady Elizabeth, l'autre l'Écossaise, une enne-
mie de l'Angleterre, une femme adultère, une
meurtrière ». Quant aux évêques de la Chambre des
lords, dans une déclaration commune, ils firent
savoir que la reine Elizabeth « offenserait sa conscience devant Dieu » si elle ne punissait pas Mary. Il
y avait eu des précédents dans la Bible et un prélat
rappela que le roi Saül avait été puni jadis par Dieu
pour ne pas avoir mis à mort le païen Agag, roi
d'Amalec (I Samuel 5). Les puritains profitèrent de
la situation pour demander que des mesures fussent
prises pour accélérer la réforme de l'Église et y éradiquer à jamais les « abominations » papistes.

Finalement, les deux Chambres rédigèrent un
projet de loi stipulant que si Mary ou un de ses
partisans, à un moment quelconque dans l'avenir,
prenait part à un complot contre la reine ou encou-
rageait un prince étranger à envahir le royaume,
Mary devrait être mise à mort pour haute trahison.
Un seul membre du Parlement s'y opposa parce que,
dit-il, il n'était pas juste de faire payer Mary pour un

acte commis par ses partisans. Elizabeth s'opposa également au projet de loi. Mais elle remercia les membres du Parlement pour leur sollicitude à son égard.

Mariage et raison d'État

En France cependant, la troisième guerre de Religion avait pris fin. Charles IX avait fait la paix avec les huguenots et même appelé le sage amiral de Coligny à la cour. On commença à parler sérieusement du mariage de la reine Elizabeth avec Henri, duc d'Anjou. Coligny l'approuvait. Avec le maréchal de Montmorency, son cousin, il avait formé depuis quelque temps déjà le projet de marier Anjou à Elizabeth afin de l'éloigner des Lorrains et d'unir la France et l'Angleterre contre l'Espagne. L'habile Francis Walsingham fut dépêché à la cour de France pour les négociations. Catherine de Médicis, marieuse invétérée qui avait toujours confondu le bien du royaume avec celui de sa famille, avait été séduite par le projet, mais pas son fils. À La Mothe-Fénelon, ambassadeur de France à Londres, Catherine fit savoir que son fils Henri ne l'épouserait jamais, même si Elizabeth voulait de lui, car ses coquetteries et ses familiarités avec ses favoris le dégoûtaient. Il faut dire que les calomnies concernant Elizabeth allaient bon train à la cour de France. Catherine fit une suggestion : Elizabeth pourrait adopter « quelqu'une de ses parentes pour fille, la déclarer héritière et que mon fils l'épousât ». Elle proposa aussi Hercule-François, duc d'Alençon, son dernier fils, « car lui le désire et il a 16 ans passés ». Anjou se ravisa lorsqu'il fut brièvement question d'une possibilité de mariage entre Elizabeth et le jeune Henri de Navarre. Catherine écrivit à La Mothe-Fénelon : « Les choses sont changées et mon fils désire infiniment épouser la reine d'Angleterre. » Lorsqu'Elizabeth fit savoir qu'Anjou ne pourrait « ouïr » la messe si elle l'épousait, le duc se rétracta définitivement. Catherine reprit alors l'offensive pour tenter de caser son petit François. Elizabeth, qui aimait les beaux hommes, ne sembla pas chaude de prime abord pour épouser Alençon qu'elle jugeait trop jeune et trop petit, et dont le visage grêlé l'inquiétait. Elle offrit même les services d'un médecin pour « remédier à cet inconvénient du visage ». Jouait-elle la comédie ? Difficile qu'il en fût autrement. L'amiral de Coligny croyait au bienfait de cette union, en tout cas, et fit même savoir à l'ambassadeur de France en Angleterre que le duc penchait vers le protestantisme et que la question religieuse ne devrait pas être un problème. Walsingham alla jusqu'à apporter à Alençon un *Livre de prière commune*. Les événements politico-religieux de l'année 1572 mirent un terme aux négociations, qui avaient toutefois eu le mérite de préserver l'amitié avec la France au moment où l'Angleterre devait faire face à la rébellion de ses sujets du Nord et à l'animosité grandissante de l'Espagne.

Les nuages s'étaient amoncelés une fois de plus sur la chrétienté. Il y eut d'abord la reprise et l'extension de la révolte aux Pays-Bas et la répression féroce du duc d'Albe. Puis, en France, dans la nuit du 23 au 24 août, au soir des noces de Marguerite de Valois, sœur du roi, et de Henri de Navarre, le futur

Henri IV, le massacre sanglant de tous les protestants venus assister à Paris au mariage, massacre
orchestré par le clergé avec la complicité des Guises,
de Catherine de Médicis et du roi. Massacre prémé-
dité ? Peut-être pas. Catherine réclamait seulement
la mort de l'amiral de Coligny, dont elle redoutait
l'influence sur son fils ; les Guises voulaient celle de
tous les chefs protestants ; mais le peuple, encouragé
par les prêtres, s'en prit aux protestants de la capitale
et le massacre se répéta dans les villes de province.

L'Europe protestante fut horrifiée, le pape
Grégoire XIII enchanté : il ordonna un *Te Deum*, fit
allumer des feux de joie et frapper une médaille
commémorative. Un an après le complot Ridolfi, le
massacre de la Saint-Barthélemy provoqua une
crainte irrépressible du pape et de ses partisans en
Angleterre, suscitant la persécution systématique des
prêtres catholiques – et surtout des jésuites militants
qui débarquaient sur les rivages du sud de l'Angleterre. À Douai et aux Pays-Bas, un collège avait été
fondé : on y formait des prêtres destinés à être envoyés
en mission en Angleterre. Traqués sans relâche, ils
furent exécutés pour trahison après avoir été torturés
pour leur faire avouer les noms de leurs complices.
Les catholiques avaient désormais leurs martyrs en
Angleterre.

Pour Elizabeth, les temps étaient houleux. Sur tous
les sujets, elle entrait en conflit avec ses conseillers.
Les désaccords touchaient à Mary Stuart, aux lords
protestants en Écosse, aux rebelles aux Pays-Bas, aux
huguenots en France, aux puritains en Angleterre. Une
majorité, entraînée par Leicester, la poussait à secou-
rir les protestants où qu'ils fussent. Elle-même était

prise entre son désir de leur venir en aide – aux Pays-Bas comme en France – et sa crainte des représailles. N'oublions pas, non plus, l'hostilité qu'elle montra toujours envers les sujets rebelles à leur prince, ce qui peut expliquer ses atermoiements. C'est pourquoi, bien qu'elle fût scandalisée par les récits que les premiers réfugiés français à Londres firent de la nuit de la Saint-Barthélemy, et qu'elle ne crût pas un mot du soi-disant complot protestant, elle ne rompit pas ouvertement avec la France, voulant préserver l'avenir. Elle choisit le double jeu, dans lequel elle excellait, envoyant de l'argent aux huguenots en guerre, soutenant en secret les expéditions organisées par ses sujets, tout en proclamant publiquement sa neutralité. Elle aida ainsi La Rochelle, la citadelle huguenote sur l'océan où les rescapés de la Saint-Barthélemy avaient trouvé refuge ; et lorsque Charles IX, face à la résistance de La Rochelle, se vit contraint de faire la paix, les relations « amicales » entre l'Angleterre et la France reprirent ; on reparla même du mariage avec François d'Alençon. Les discussions furent longues, très longues. Outre son attitude vis-à-vis du mariage, Elizabeth trouvait, avec raison, deux empêchements majeurs à l'union avec Alençon : la différence d'âge et la différence de religion. Et c'était sans compter le mécontentement que le mariage français soulevait dans le peuple, au Parlement, ainsi qu'au sein même du conseil privé de la reine. Néanmoins, le mariage franco-anglais apparaissait à Burghley et à quelques autres comme une bonne solution pour éviter une entente entre la France et l'Espagne qui serait dramatique pour l'Angleterre : « Les protestants qui vous aiment le souhaitent, écrivait Burghley à Elizabeth, et les catholiques prient pour ce mariage. » Il n'empêche qu'une large majorité d'Anglais priaient pour que ce mariage ne se fît pas.

Le singe et la grenouille

Le 7 septembre 1579, le royaume célébra joyeusement l'anniversaire de la reine. C'était la première fois dans l'histoire anglaise que l'on célébrait la naissance d'un monarque. Puis, le 17 novembre, il y eut des festivités pour l'anniversaire de son accession au trône. Le peuple aimait sa reine et tenait à le lui faire savoir. En cette année 1579, il y eut aussi un événement propre à faire grincer les dents de son peuple : la visite à Londres de François, devenu duc d'Anjou à la mort de son frère Charles. François était arrivé très discrètement ; Elizabeth, pour l'occasion, se livra à des assauts de coquetterie avec le jeune duc. Le dernier fils de Catherine de Médicis était un personnage ambitieux et versatile, toujours prêt à intriguer ; son frère Henri, le nouveau roi, lui-même s'en méfiait. Mais Elizabeth le trouvait tout à fait charmant et clamait à tout vent, comme elle l'avait fait naguère à propos de Philippe II, combien elle appréciait les lettres qu'il lui envoyait. Il est vrai que François l'assurait de sa « dilection de tant de rares et belles vertus » et déclarait qu'elle était la « plus parfaite déesse des cieux ». Elle montra lors de sa visite tous les signes d'une femme amoureuse et lui donna le surnom de « grenouille ». Il est difficile de penser que son enthousiasme était motivé par autre chose que par l'enjeu politique. Les projets de mariage entre la couronne anglaise et un Valois ne pouvaient qu'irriter et même inquiéter Philippe II, d'autant que le duc d'Anjou, début août, avait signé avec les États un traité d'assistance afin de les délivrer de « l'insupportable tyrannie » des Espagnols et de « l'odieuse invasion » de don Juan d'Autriche, le petit-fils adultérin de Charles Quint. Néanmoins, Philippe, qui gardait la tête froide, ne croyait pas au mariage franco-anglais. Il aurait dit qu'il le considérait « comme une pure invention » avant d'ajouter : « Je crois qu'on continuera à en discuter, et qu'à la fin, c'est la reine qui refusera. »

Ce qui passe à 20 ans ne passe plus à 47, et le comportement d'Elizabeth souleva des critiques, y compris parmi ses plus fidèles partisans. Leicester d'abord : le mariage avec un Valois ne lui plaisait pas du tout, non plus que l'attention que la reine portait à Jean de Simier, baron de Saint-Marc, chargé par François d'Anjou de « traiter, résoudre et contracter le mariage de ladite dame reine d'Angleterre ». L'homme était charmant, spirituel, et Elizabeth eut tôt fait de l'appeler affectueusement « mon singe », sans doute à cause de son nom. Leicester fit courir le bruit que Simier avait charmé la reine et l'avait rendue amoureuse d'Anjou « par breuvage et artifices illicites ». Simier, lui, parlait de complot contre lui tramé par Leicester pour le faire assassiner. Les ministres puritains étaient mécontents et n'hésitèrent pas à critiquer sévèrement le mariage, craignant de voir revenir le « papisme » dans le royaume. Un brave homme de loi du nom de John Stubbs, beau-frère de John Cartwright, tête pensante du mouvement puritain, publia même un ouvrage au titre inquiétant : *La découverte de l'Abîme ou mariage français dans lequel l'Angleterre sera engloutie si Dieu n'en interdit pas la célébration en révélant à Sa Majesté le péché et le châtiment.* Stubbs chanta hautement les vertus de la reine mais déclara qu'Anjou était le serpent venu sous la forme d'un homme pour séduire « notre Ève afin qu'elle et nous perdions notre Paradis ». De plus, disait Stubbs plein de bon sens sinon de tact, la reine était trop âgée pour procréer ; en revanche, Anjou lui passerait la syphilis dont il était infecté en raison de la vie dissolue qu'il avait menée. D'autres voix dans le royaume s'élevèrent dans ce sens.

Très en colère, Elizabeth fit arrêter Stubbs, son imprimeur et le libraire qui vendait l'ouvrage. Ils ne pouvaient être jugés pour trahison ou pour hérésie, alors on dénicha, pour satisfaire la reine, une loi, datant de 1555, destinée à punir ceux qui se permettaient de critiquer Mary Tudor et Philippe II. Les trois hommes furent condamnés à avoir la main droite coupée. Nombreux furent ceux qui tentèrent de faire revenir la reine sur sa décision ; et Anjou lui-même lui demanda de renoncer à un tel châtiment. Elizabeth gracia le libraire mais pas l'auteur et son imprimeur qui eurent la main coupée publiquement. Les hommes du XVIe siècle ne manquaient pas de courage et de panache : Stubbs, avant l'exécution, s'adressa à la foule pour clamer son amour pour sa reine, et, après que sa main eût été coupée, souleva son chapeau de sa main gauche, puis, d'une voix forte, avant de s'évanouir, cria : « God save the Queen ». La foule, racontèrent des témoins, fut profondément choquée par ce châtiment inhabituel en Angleterre et hors de proportion avec l'outrage commis. Elizabeth, de plus, garda Stubbs un an en prison. Mais il avait de nombreux partisans dans le royaume et si ceux-ci n'avaient pas été en mesure de lui sauver la main, ils réussirent du moins à persuader la reine de l'employer à l'avenir comme propagandiste anti-catholique, ce qu'elle fit en l'envoyant auprès des protestants néerlandais révoltés. Par la suite, il apprit à écrire de la main gauche.

Et le rideau tombe

Malgré les critiques qui se faisaient entendre, les discussions portant sur le mariage de la reine avec François d'Anjou furent menées bon train et, au printemps de 1581, on parlait de l'organisation de la cérémonie. L'entente semblait si cordiale que la parcimonieuse Elizabeth avait été jusqu'à puiser dans ses deniers pour aider Anjou à défendre Cambrai, rapporte William Camden. La « grenouille » revint à Londres pour une seconde visite à la fin de l'automne, mais Elizabeth avait probablement renoncé entretemps au mariage. Il est vrai aussi qu'elle sentait l'hostilité envers Anjou croître dans le royaume, et qu'elle était toujours très attentive à l'amour que lui portait son peuple. Le roi de France commençait sérieusement à s'agacer des atermoiements d'Elizabeth comme des conditions inacceptables des Anglais qui réclamaient une alliance « défensive et offensive » contre l'Espagne. Au mois de juin, Walsingham avait fait savoir à Henri III et à Catherine de Médicis que la reine Elizabeth avait toujours désiré rester vierge, et qu'il vaudrait peut-être mieux envisager une alliance plutôt qu'un mariage. Mais Catherine refusa l'alliance sans le mariage, consommé ou pas. De vives discussions eurent lieu au conseil, très divisé sur le sujet. Le 7 octobre, les conseillers se réunirent une fois encore. La réunion dura de 8 heures du matin à 7 heures du soir. Burghley et Sussex penchaient encore pour le mariage, mais Leicester et Henry Sidney y étaient farouchement opposés et finirent par entraîner la majorité du Conseil. Un peu plus tôt, Sidney n'avait pas hésité à écrire à la reine pour la dissuader d'épouser « un Français, un papiste... fils de la Jézabel de notre temps ». Néanmoins, Elizabeth voulut jouer une dernière scène pour maintenir l'illusion. Elle reçut Anjou avec toute l'attention qu'une promise devait montrer à son promis. N'alla-t-elle pas jusqu'à lui passer une bague symbolique au doigt ? Fut-ce un cadeau d'adieu ? Anjou n'avait sans doute plus d'illusions mais, comme le constate William Camden, témoin fidèle de l'ère élisabéthaine, le jeune homme pouvait espérer que même si sa relation n'aboutissait pas au mariage durant son séjour en Angleterre, « le fait d'avoir le soutien de la reine Elizabeth rendrait les Néerlandais d'autant plus heureux de l'accueillir, eux qui l'honorent comme leur sainte patronne ».

Guillaume d'Orange avait appelé Anjou pour qu'il devînt gouverneur des États, afin de pouvoir unir tous les habitants, catholiques et protestants, contre les Espagnols ; celui-ci avait accepté avec la bénédiction d'Henri III, trop content de se débarrasser de son frère. François quitta donc l'Angleterre pour les Pays-Bas au début de l'année 1582. Elizabeth éprouva-t-elle alors du soulagement ? Ou, au contraire, regretta-t-elle Anjou qui lui faisait une cour si charmante ? Et qui était, somme toute, la dernière occasion qu'elle eût de se marier. Des témoins remarquèrent sa tristesse ; d'autres, au contraire, la trouvèrent joyeuse, dansant « tant elle était soulagée ». Tout porte à croire qu'elle était véritablement soulagée. Au cours de la seconde visite du jeune duc, et malgré la scène joliment jouée de l'échange de bagues, elle était de plus en plus mal à l'aise et irritée. Elle ne supportait plus les demandes d'argent incessantes d'Anjou pour mener à bien son intervention aux Pays-Bas, ni les pressions de ses conseillers, les uns en faveur du mariage français, les autres en totale opposition. Finalement, elle accepta de prêter à Anjou 60 000 livres, mais il semble que ce fût surtout pour s'en débarrasser. Il mourut de la tuberculose le 10 juin 1584, et son frère Henri III étant sans descendance, Henri de Navarre devint prétendant au trône de France.

L'affaire Anjou mit fin définitivement aux consultations maritales de la reine. Jamais plus elle n'alla aussi loin dans ses projets d'union ; mais, comme Philippe II, je crois qu'il était impossible qu'elle allât jusqu'au bout. Sa volonté de rester vierge peut expliquer son indécision, sa procrastination. Il lui était toujours possible de revenir sur une décision politique et elle ne priva pas de le faire souvent ; à plusieurs reprises, on la vit donner des ordres et des contre-ordres, puis revenir à sa première décision pour en changer encore ; mais le mariage était un engagement pour la vie qu'elle se sentait probablement incapable de prendre. Elle montra souvent aussi un caractère fantasque, comme son père. Des enfants de Henry VIII, c'est Elizabeth, indubitablement, qui lui ressemble le plus. On doit toutefois reconnaître qu'elle avait généralement assez de bon sens et de sang-froid pour se reprendre à temps. Ce qui étonne le plus, c'est qu'un homme aussi lucide et intelligent que William Cecil ait pu croire que l'union de la reine avec le plus jeune des Valois aboutirait. Mais peut-être était-ce seulement un vœu pieux, dans l'intérêt du pays. La période des tractations et des marivaudages fut pour l'Angleterre, ne l'oublions pas, un temps de paix avec la France.

15

Diminuer l'Espagnol

Les corsaires de la reine

Peut-on participer à des conflits sans en avoir l'air ? C'est un peu la politique menée par l'Angleterre durant deux décennies ; or, à ce jeu, on ne peut qu'admirer le talent d'Elizabeth. Économe des deniers de l'État, Elizabeth le fut aussi du sang de ses sujets et elle rechercha la paix plus que la guerre. Elle s'employa à préserver plus qu'à conquérir, mais ne s'opposa généralement pas aux opérations audacieuses de ses favoris, surtout lorsqu'il s'agissait de protéger le commerce. Les Anglais, peuple de marchands ? Les Anglais âpres au gain ? On le dit depuis plusieurs siècles. Les Anglais furent aussi des navigateurs et des colonisateurs valeureux qui conquirent des terres lointaines et les développèrent grâce à l'intelligence de leur politique, au courage et à la ténacité des hommes qui participèrent à la découverte des océans.

Car l'ère Tudor, c'est aussi une révolution économique et commerciale qui favorisa l'émergence de nouveaux groupes sociaux, notamment une classe marchande dont l'importance fut décisive dans le développement et la consolidation des anciens marchés aux Pays-Bas comme dans la conquête de nouveaux marchés en particulier celui des îles à épices telles que les Moluques. Autant que l'or, le clou de girofle fit courir les aventuriers. Le temps d'Elizabeth, c'est encore celui des découvertes et donc celui de la cartographie, des publications encyclopédiques. On commença par dessiner les « Estats » ; ensuite les continents. Avancée dans l'Atlantique, l'Angleterre fut tentée par l'aventure maritime. Dans une lettre à Elizabeth, en 1578, John Dee, astronome réputé et expert en navigation qui forma la plupart des hommes qui dirigèrent les expéditions des grandes découvertes de l'Angleterre, parle d'un « Empire britannique ». Cet empire comprendrait l'Arctique, le mythique « Frisland » qu'aurait conquis le roi Arthur jadis, et « Atlantis », le continent nord-américain découvert au XIIe siècle par le prince gallois Madoc, fils d'Owen, dont les exploits nous sont connus par les chansons des bardes. Il y eut surtout le très célèbre ouvrage de Richard Hakluyt, *Principales navigations et explorations et découvertes de la Nation angloise*, édité en 1589, pour exalter la valeur des navigateurs et explorateurs anglais. Les Anglais, disait-il non sans exagération, « grâce à la protection et aux bénédictions divines, dans les recoins et les secteurs les plus opposés du vaste monde, ont surpassé tous les peuples et toutes les nations de l'Univers ».

Londres, port principal de l'Angleterre, mais aussi Bristol, Hull, Southampton, Plymouth, devinrent le point de départ d'expéditions au long cours auxquelles nombre de particuliers participèrent financièrement

– des marchands, des nobles et même la reine. Les premiers pêcheurs prirent la route océanique du Nord, à la recherche de la morue. Ce furent ensuite des marchands en quête de profits. Ils engagèrent des capitaux dans les expéditions à risques des navigateurs/corsaires qui fréquentaient la cour d'Elizabeth, tels Francis Drake, ou Richard Hawkins, fils de l'amiral Hawkins, qui mêla piraterie, pillage et observations scientifiques ; ou encore Martin Frobisher, fils d'un marchand du Yorkshire, dont l'ambition était de découvrir le fameux passage du Nord-Ouest menant à Cathay – c'est-à-dire la Chine. Un mythe qui eut la vie dure puisqu'au XVIIIe siècle, certains rêveurs y croyaient toujours. Frobisher fut aussi un soldat valeureux qui prit part à la guerre en Irlande en 1585, participa avec Drake à l'attaque victorieuse contre la flotte espagnole en 1587, combattit la grande Armada en 1588, fit de nombreux raids contre des galions espagnols et mourut en prenant d'assaut une citadelle tenue par les Espagnols en Bretagne en 1591. On peut dire que ces trois hommes furent les chevaliers des mers de la reine.

L'Angleterre n'est pas une île, comme le fait remarquer Bernard Cottret dans son *Histoire de l'Angleterre*, puisqu'elle a des frontières avec l'Écosse et le pays de Galles. Mais ces trois états réunis sont entourés par des mers qui les séparent du continent. La mer est pour eux une source de richesses et une protection relative contre les envahisseurs. Henry VII avait accordé, en 1496, à des marchands de Bristol, une patente les autorisant à aller naviguer à l'Est, au Nord ou à l'Ouest, et John Cabot avait découvert le Labrador. En 1552, Sébastien, le fils de Cabot, prit la tête d'une expédition vers le nord-est, à travers l'océan Arctique ; il établit les premières relations commerciales de l'Angleterre avec Arkhangelsk ; puis Martin Frobisher se rendit en Amérique septentrionale à trois reprises. En 1578, Elizabeth accorda à son « bien aimé serviteur », sir Humphrey Gilbert de Compton, et à ses héritiers, « la liberté et la permission de découvrir, trouver, chercher, et observer tous lieux, pays et territoires lointains, païens et barbares, qui ne sont pas actuellement en la possession d'un prince ou d'un peuple chrétien ». En 1585, sir Humphrey Gilbert, explorant la région du Nord-Ouest, découvrit le passage entre la terre ferme et l'île de Terre-Neuve.

Même si les Français revendiquaient cette région, ils ne l'occupaient pas. Il n'y avait donc rien à craindre d'eux, d'autant que les Anglais ne fréquentaient les lieux que pour pêcher et pour tenter de trouver la route qui leur permettrait d'aller plus rapidement vers la Chine et les îles aux épices qu'en contournant l'Afrique. Il n'en était pas de même avec l'espace caraïbe, où les Espagnols s'étaient solidement implantés. Par le traité de Tordesillas de 1494, le pape Alexandre VI avait partagé les terres d'Amérique découvertes et à découvrir entre le Portugal et l'Espagne. Mais ni le roi de France, ni le roi d'Angleterre ne reconnurent la validité du traité. Aussi bien, les Français, comme les Anglais, ne le respectèrent-ils pas. Par l'Amérique caraïbe transitait l'or espagnol. Drake et Hawkins avaient bien l'intention de se servir au passage en s'emparant des lourds galions qui ramenaient le précieux métal en Espagne. Il faut dire que parmi toutes les grandes découvertes du XVIᵉ siècle, nulles ne furent plus grandes et profitables que celles de l'Espagne. Le conflit avec l'Espagne, tant redouté par Elizabeth, n'éclata pas ouvertement avant 1585. Les Anglais donnèrent néanmoins bien du fil à retordre à Philippe II les années précédentes. C'est ainsi que John Hawkins avait fait deux voyages en Amérique dans les années 1560 pour y vendre des esclaves qu'il avait été chercher en Guinée, brisant le monopole commercial de l'Espagne avec le Nouveau Monde. Avant de se lancer dans l'aventure, il lui avait fallu obtenir d'Elizabeth ces fameuses lettres de marque qui permettaient aux capitaines des navires et à leurs équipages d'être considérés comme des corsaires au service de leur prince, et non comme des pirates, si jamais en chemin ils s'autorisaient à piller quelque navire étranger. Elizabeth hésita, craignant le conflit ouvert avec l'Espagne. Mais l'appât du gain et, peut-être, le goût de l'aventure l'emportèrent sur sa prudence habituelle.

Passes d'armes

Pour son trafic négrier, Hawkins avait pris avec lui son jeune cousin, Francis Drake. Si les deux premières expéditions se déroulèrent sans encombre, la troisième, en 1568, tourna au désastre : drossés par des vents violents dans le port de San Juan de Ulúa, près de Veracruz, sur les côtes du Mexique, les navires anglais furent attaqués par les Espagnols, en dépit de la parole donnée ; Hawkins et Drake parvinrent à s'enfuir, chacun de leur côté, et l'équipage reçut des traitements divers, selon qu'ils abjurèrent le protestantisme ou non. Confiés aux bons soins de l'Inquisition, certains furent brûlés comme hérétiques ; d'autres fouettés puis embarqués comme galériens dans la marine espagnole. L'affaire eut un retentissement considérable : la scène, constate Bernard Cottret, « devint une première icône patriotique, vingt ans avant la défaite de l'Invincible Armada ».

En septembre de la même année, cinq navires espagnols qui faisaient voile vers Anvers, chargés de marchandises d'Espagne et surtout de cent cinquante-cinq coffres remplis d'argent, durent se réfugier dans les ports de Plymouth, Falmouth et Southampton, pour échapper à des corsaires rochelais. Sous prétexte d'éviter les « convoitises », la reine fit mettre à l'abri les fameux coffres dans la Tour de Londres. Odet de Châtillon, le frère aîné de l'amiral de Coligny, qui se trouvait alors en Angleterre, expliqua à Elizabeth que l'argent appartenait à des banquiers génois et devait servir à payer les troupes qui combattaient les rebelles protestants aux Pays-Bas. Cecil se renseigna : l'argent appartenait aux banques génoises en effet. Au conseil privé de la reine, certains voulaient la restitution immédiate de l'argent saisi ; d'autres suggéraient de persuader les agents des banquiers génois à Londres de les prêter à l'Angleterre au lieu de les prêter à l'Espagne. Ce fut la solution retenue par la reine. Pour calmer la fureur de Philippe II, elle justifia son action en faisant savoir à son « bon frère » que « divers bateaux français, également prêts au combat » longeaient la côte, et qu'elle avait mis l'argent à l'abri, craignant « qu'ils ne pénètrent dans lesdits ports pour les enlever par force ».

L'ambassadeur, don Guerau de Spes, n'en croyait pas un mot et écrivit au duc d'Albe pour lui conseiller de saisir en représailles les biens anglais à Anvers et autres villes. Le 29 décembre, Albe non seulement faisait saisir les biens anglais, mais également arrêter tous les Anglais résidant aux Pays-Bas. Il avait agi dans une précipitation peu judicieuse puisque l'or n'appartenait pas encore à Philippe II et donc, il n'y avait pas eu attaque contre les Espagnols. Elizabeth faisait maintenant figure de victime. Il y eut de part et d'autre échange de lettres acrimonieuses. Puis l'affaire se tassa. Mais les tensions maritimes entre l'Espagne et l'Angleterre ne cessèrent jamais complètement.

Drake reprit la mer avec deux vaisseaux et 75 hommes et fit voile sur Panama, où il fit construire trois autres navires ; puis il s'empara de la ville de Numbre de Dios et de ses trésors, action extrêmement audacieuse. Il retourna en Angleterre avec quelque 40 000 livres d'argent espagnol pour découvrir que les relations avec l'Espagne, en son absence, s'étaient considérablement améliorées. Alors, craignant le déplaisir de la reine, il reprit la mer avec son butin et resta absent pendant trois années durant lesquelles il fit par deux fois le tour du monde, passant d'un océan à l'autre tant par le détroit de Magellan que par le cap de Bonne-Espérance. Il se rendit aux fameuses îles Moluques où il embarqua plusieurs tonnes de clous de girofle. Il rentra en 1581 en héros national, si bien que la reine n'osa rien faire contre lui. Au mois d'avril, elle se rendit même à bord du *Golden Hind*, le navire de Drake, arma chevalier le corsaire, et proclama haut et fort son approbation à ses entreprises. La reine s'intéressa toujours au développement de la marine, encourageant les armateurs, les marchands, les manufacturiers, la noblesse à investir dans les entreprises maritimes. Ainsi, elle évitait d'imposer des taxes à ses sujets et avec une légère infrastructure financière, la marine anglaise put se développer et soutenir contre l'Espagne, entre 1585 et 1604, une des plus longues guerres de son histoire.

Disons-le, l'affaire des Pays-Bas avait entraîné un déferlement d'actes de piraterie dans la Manche et le golfe de Gascogne. Les « gueux de la Mer » néerlandais, souvent en compagnie de marins rochelais, portèrent un coup très rude au commerce espagnol. Elizabeth, craignant les représailles, refusa à plusieurs reprises de leur donner asile dans les ports du royaume où ils tentaient de se réfugier. Mais dans les années 1580, il sembla de plus en plus difficile à la reine de garder un semblant de neutralité, le parti protestant parlant d'une voix d'autant plus forte que la situation de leurs frères des Pays-Bas s'aggravait, sans compter la possibilité d'un complot catholique, qui aurait amené la chute de la reine Elizabeth, voire son assassinat, et le retour du papisme. Il est certain que la gloire du règne d'Elizabeth repose sur une unanimité nationale dont le ciment était sans aucun doute l'anti-papisme. L'Angleterre se « protestantisait » au fil des ans, non pas tant par une adhésion sans faille aux tenants théologiques de la Réforme, laissant cela aux cercles puritains de l'Église d'Angleterre, que par rejet de la papauté et fidélité à la patrie et à la reine. Les menaces qui pesaient sur elle renforcèrent leur adhésion au protestantisme parce que c'était la religion de la reine et que les puissances catholiques voulaient sa perte. Dans le royaume, au demeurant, les militants catholiques étaient peu nombreux, et on voit mal comment ils auraient pu fomenter une révolte de quelque envergure ; néanmoins, il existait en Angleterre un catholicisme missionnaire dangereux, venu du continent, qui prêchait la sédition et voulait la mort de la reine, encouragé par le pape.

Pour la défense de la reine

En 1584, dans un « Discours sur les moyens de diminuer l'Espagnol » adressé à Henri III, Philippe Duplessis Mornay, tête pensante du parti huguenot, suggéra deux moyens pour affaiblir l'Espagne sans en venir à la guerre ouverte :

> L'une est de faire une puissante ligue contre cette grandeur d'Espagne, qui se desborde. L'autre est de lui susciter et entretenir des empeschemens domestiques, afin qu'elle soit contrainte de se contenir entre ses bords.

À cette ligue il voulait associer la reine Elizabeth, les princes allemands et le roi du Danemark. Le temps lui semblait opportun : une conspiration contre l'Angleterre et contre la reine, « suscitée par le roi d'Espagne », avait été découverte, et celui-ci avait appris qu'il avait été ordonné à son ambassadeur de sortir du royaume dans les quarante jours. De plus, les Espagnols avaient envoyé des agitateurs en Écosse pour « animer le jeune prince contre elle », et les Écossais commençaient à « goûter l'argent d'Espagne ». La reine ne pouvait donc que réagir favorablement à la proposition d'entrer dans une ligue destinée à combattre sur tous les fronts l'ennemi commun : l'Espagnol.

Remontons le temps : le 15 mars 1580, le roi Philippe II, dans une proclamation, avait déclaré que Guillaume d'Orange dit le Taiseux était le principal perturbateur de la chrétienté – en particulier des Pays-Bas – et il avait donné liberté à quiconque de le tuer, afin de débarrasser le monde de cette « peste ». Il promettait une grosse récompense à celui qui se chargerait de la besogne. Deux ans plus tard, un Biscayen au service d'un marchand espagnol tirait un coup de feu sur Guillaume. Celui-ci ne fut que blessé, mais la nouvelle de sa mort se répandit et parvint jusqu'à Mary Stuart. Elle fit aussitôt passer une lettre à l'ambassadeur espagnol Mendoza pour exprimer sa satisfaction : « Prions Dieu qu'il pût exercer une juste vengeance contre le Prince d'Orange et tous ses partisans, les ennemis de la religion et de la paix publique. »

Guillaume d'Orange était en vérité un homme de valeur, un sage qui cherchait à unir les provinces, non à diviser les populations. À Elizabeth, il écrivait en février 1583 qu'il avait du mal à « croire ce qu'il avait vu », ajoutant : « mais puisque les affaires en sont venues jusqu'à ce point, j'espère que Dieu nous donnera conseil pour en sortir à sa gloire ». Il la suppliait de l'aider à éviter le pire. Le Conseil privé de la reine accumula les documents de travail afin de décider ou non d'une intervention. Elizabeth hésitait toujours à s'engager. Mais, en 1583, il y eut la découverte d'un complot contre la reine. En 1584, Hawkins proposa de fédérer les forces anglaise, néerlandaise et huguenote contre les Espagnols. Puis, le 1er juillet, il y eut l'assassinat tragique de Guillaume d'Orange à Delft par un Franc-Comtois fanatique. Elizabeth ne provoquait que rarement les événements, mais savait s'en servir au mieux. Or l'émotion fut intense en Angleterre. Beaucoup voulaient venger sa mort. Néanmoins, la reine et Burghley attendirent encore quelques mois avant de décider une intervention aux Pays-Bas.

Le 10 octobre 1584, les conseillers d'Elizabeth se rassemblèrent pour une réunion que l'on peut qualifier d'historique. Après d'âpres discussions, il fut décidé de s'opposer aux Espagnols en tous lieux, y compris sur la mer ; et neuf jours plus tard fut constitué un Pacte d'association pour la défense de la reine Elizabeth. L'idée de ce pacte vint de treize membres du Conseil privé, dont Leicester, qui prêtèrent le serment solennel de combattre pour leur reine jusqu'à la mort. Le mouvement s'étendit par tout le royaume ; nombreux furent ceux qui, dans l'enthousiasme et la ferveur, signèrent ce pacte. Il était prévu qu'en cas de mort violente de la reine, le bénéficiaire de la disparition de la reine ne pourrait monter légalement sur le trône. Les signataires s'engageaient de plus à tuer les auteurs du forfait ou leurs instigateurs, et toute personne réclamant la couronne. Il est clair que Mary Stuart et son fils étaient visés. Elizabeth prétendit toujours qu'elle n'avait pas été mise au courant et n'eut connaissance du Pacte que lorsqu'on le lui présenta à Hampton Court, portant des milliers de signatures. Elle exigea des modifications au texte avant de le signer pour qu'il eût force de loi : ses loyaux sujets ne seraient autorisés à tuer que les personnes jugées par le Conseil privé coupables d'avoir voulu l'assassiner. Les jours de Mary Stuart étaient comptés, de toute façon. La multiplication des complots catholiques pour renverser ou assassiner Elizabeth avait scellé son sort.

À la mi-août, la reine signa un traité d'assistance militaire avec les Pays-Bas, s'engageant à leur envoyer 4 000 fantassins, 400 cavaliers et 700 hommes pour tenir garnison ; puis, en octobre, elle adressa un manifeste par lequel elle expliquait les raisons de son intervention. Le titre est explicite : *La Déclaration des causes qui ont ému la reine d'Angleterre à donner secours pour la défense du peuple affligé et oppressé des Pays-Bas*. Habilement, elle soulignait les liens très anciens unissant l'Angleterre à ses voisins de la mer du Nord et les traditions d'échanges commerciaux : l'Angleterre avait les moutons ; les Pays-Bas, les tisserands. Elle précisa qu'il ne s'agissait pas d'une guerre de religion, mais elle rappelait les « affinités » spirituelles des deux pays, et terminait en affirmant sa volonté d'aider au maintien d'une « paix chrétienne ». Peu de temps après, Drake appareillait, de Plymouth, avec une vingtaine de bateaux, pour les Caraïbes, afin de porter des coups aux Espagnols au cœur de leur système colonial. Enfin, le 6 janvier 1585, Walter Raleigh était fait chevalier par la reine et prenait la mer à son tour vers l'Amérique. Il ne s'agissait pas encore de coloniser, mais de piller et de détruire les biens espagnols.

Le « doux Robin » vit dans l'intervention anglaise aux Pays-Bas une occasion de prouver ses talents de chef de guerre. À la fin de l'année, il prit la tête d'une flottille d'une cinquantaine de navires, entouré par une noblesse enchantée de renouer avec les faits glorieux du passé. De Rotterdam à Delft, il fut accueilli par des foules en délire, avec cris d'enthousiasme, salves de canon et oraisons latines. Les États lui offrirent de devenir gouverneur et commandant en chef des armées. Il accepta, après quelques jours de réflexion, mais avant d'en référer à la reine. Le 4 février 1585, Leicester fut intronisé à La Haye devant des représentants des États généraux. Dès qu'elle en fut avertie, Elizabeth explosa de colère et écrivit à Leicester et aux États pour condamner cette désignation, leur faisant savoir que « son acceptation du commandement de ces provinces étant contraire à notre commandement ».

D'évidence, le succès de Leicester l'exaspéra. Peut-on y voir la frustration d'une reine qui n'aurait jamais la possibilité de montrer sa valeur sur les champs de bataille comme l'aurait fait un roi ? Ou bien lui refusait-elle l'indépendance et le pouvoir que ses nouvelles attributions lui donnaient ? Ou fut-ce tout simplement de la jalousie féminine : le succès de Leicester ne serait-il pas aussi celui de Lettice Knollys, l'épouse abhorrée du « cher Robin » ? Il est un fait qu'elle interdit à celle-ci de quitter le royaume pour rejoindre son mari. Craignant de voir Elizabeth rompre ses engagements, Leicester, pour la calmer, proposa de renoncer à son titre de gouverneur des Pays-Bas. Burghley intervint en sa faveur auprès de la reine, insistant sur sa valeur et sur les retombées qu'elle tirerait de la situation ; il menaça même de démissionner si elle le faisait revenir. Pour lui, les choses étaient claires : il n'était pas possible d'abandonner les Pays-Bas. L'affaire se compliqua du fait de l'incapacité de Leicester de gérer convenablement les affaires embrouillées des États. En quelques mois, les Néerlandais avaient pris en grippe les Anglais. Ne pouvant plus exercer correctement son autorité, Leicester retourna en Angleterre, peu glorieusement ; mais Elizabeth se tira de ce fiasco avec honneur : elle fut dès lors considérée comme le « défenseur des intérêts protestants ».

Pendant ce temps, Drake et les autres corsaires anglais menaient dans les Caraïbes une guerre sans merci contre les biens espagnols.

16

Guerre ouverte

Le complot de trop

En 1586, Elizabeth gardait Mary Stuart prisonnière depuis dix-huit ans. Les deux cousines ne s'étaient jamais rencontrées mais échangeaient des lettres. Mary changea de lieu de résidence à plusieurs reprises mais, où qu'elle fût, elle avait suffisamment d'amis et de partisans dans le royaume pour garder le contact avec l'extérieur. Sa mort tragique en fit une martyre du catholicisme autant qu'une victime des protestants anglais et de leur méchante reine, Elizabeth. Son image d'héroïne romantique, de femme sacrifiée sur l'autel politico-religieux, nourrit la littérature hagiographique et occupe encore une place étonnante dans les ouvrages des auteurs catholiques. On ne s'étonnera pas que les auteurs protestants aient en revanche une vision différente sur les responsabilités des deux reines. Car on ne peut séparer la religion de la raison d'État dans l'exécution de Mary, du fait que Henry VIII avait assujetti l'Église. Elizabeth incarnait une Angleterre protestante et Mary Stuart une Angleterre catholique. Le destin de

l'une et l'autre reine était lié à la religion du royaume.
D'où l'espoir que Mary faisait naître chez les tenants
du catholicisme romain, tandis qu'Elizabeth était le
roc sur lequel s'appuyaient les partisans du protestantisme. La reine des Écossais, héritière légitime de
la couronne d'Angleterre, représentait un danger
bien réel pour la majorité des Anglais car son retour
aurait signifié certainement un retour au papisme
– et probablement aux persécutions. Encore que
Mary Stuart, contrairement à Mary Tudor, n'était
en rien fanatique. Mais beaucoup de ses partisans,
soutenus par les papes successifs, par Philippe II, par
les Guises et par la Sainte Ligue, eux l'étaient.

En 1585, Mary changea une nouvelle fois de lieu
de détention et fut confiée aux bons soins de sir
Amyas Paulet, ancien ambassadeur d'Angleterre en
France. Puritain pur et dur, il ne risquait pas de succomber à son charme et à se faire son protecteur
plus que son geôlier. Aux yeux de Paulet, Mary était
une femme immorale et dangereuse. Dangereuse
pour l'Angleterre, elle l'était sûrement ; du reste,
Burghley et quelques autres membres du conseil
songeaient sérieusement à l'éliminer, craignant avec
raison sans doute, dans le contexte de la guerre anglo-
espagnole, un attentat contre la reine Elizabeth,
conjugué avec une descente d'éléments étrangers sur
les rivages anglais. Mais comment se débarrasser de
Mary sans soulever un sentiment d'horreur dans
toute la chrétienté ? Elizabeth était tout à fait opposée à une exécution sanglante, dont elle porterait
seule la responsabilité.

En fait, Mary Stuart fut victime de sa propre légè-
reté. Dans ses résidences successives, elle trompait

son ennui en maniant l'aiguille et la plume. Elle cousait, brodait, complotait, écrivait. Elle écrivait beaucoup. Elle écrivait trop. Burghley et Walsingham, qui avaient un service de contre-espionnage très bien organisé, étaient rapidement mis au courant des complots qui se tramaient contre Elizabeth et de l'appui que Mary pouvait recevoir de l'étranger. Elle s'était compromise dans toutes les conspirations ; mais il fallait la prendre la main dans le sac pour pouvoir justifier un procès contre elle. Ils préparèrent un piège dans lequel Mary tomba allègrement.

L'histoire tient du roman d'espionnage et d'Alexandre Dumas. Tous les ingrédients d'un bon roman sont là, avec, dans les rôles principaux, Burghley et Walsingham, les commanditaires, Gilbert Gifford et Bernard Maude, les agents provocateurs, John Savage et John Ballard, des assassins au service des agents provocateurs, Dr William Parry un agent double sans foi ni loi, et un jeune idéaliste, Anthony Babington. Ce dernier avait conçu le plan chimérique de libérer Mary Stuart de son château. Il lui écrivit pour lui expliquer le plan qu'il avait formé avec ses amis : il pensait que dix gentlemen à la tête d'une centaine d'hommes pourraient la délivrer tandis que six autres se chargeraient d'assassiner Elizabeth. Gifford intercepta la lettre et la transmit à Walsingham qui la fit lire par son décrypteur, Thomas Phelippes. Walsingham la réexpédia ensuite à sa destinataire, toujours par l'entremise de son agent qui avait su gagner la confiance de Mary. Quelques jours plus tard, Mary commit l'imprudence suicidaire de répondre au jeune Babington : elle donnait son accord pour la première partie du plan, mais s'opposa *peut-être* à la seconde. À nouveau, la lettre fut interceptée et déchiffrée ; et son propos fut *peut-être* altéré par Phelippes, car dans cette lettre, Mary acceptait l'assassinat d'Elizabeth ! Elle était prise la main dans le sac : Walsingham et Burghley pouvaient se réjouir. Babington et ses amis furent arrêtés, torturés et exécutés. Walsingham ne leur avait laissé aucune chance car, parmi les conspirateurs, il avait placé Gilbert Gifford et quelques autres de ses agents. En ce qui concerne l'authenticité des propos de Mary à propos de l'assassinat de la reine Elizabeth, le doute persiste, et ce d'autant que les originaux ont disparu…

L'exécution de Mary Stuart

Que la réponse de Mary Stuart ait été altérée ou non, elle en disait assez pour justifier le procès contre elle. Notons que la place de la religion n'était pas absente de la pensée de Babington et de ses amis. On peut même dire que le retour de l'Angleterre dans le giron de l'Église catholique romaine était le premier objectif des conspirateurs. Ils s'étaient engagés à défendre le catholicisme jusqu'à la mort. Quant à Mary, elle montra clairement dans sa réponse qu'elle confondait sa cause avec celle du catholicisme romain.

L'arrestation et le procès de Mary Stuart embarrassèrent Elizabeth. Elle écrivit au roi des Écossais, James VI, pour lui faire part de l'horrible conspiration « née de la suggestion des jésuites » et le mettre en garde contre « ces vipères ». Par une proclamation, elle fit savoir à son peuple que Mary Stuart, avec l'aide de comparses, avait comploté contre la monarchie anglaise. Elle comprenait la nécessité de mettre Mary hors jeu pour sa sécurité propre, pour celle de l'Angleterre et pour celle de l'Église dont elle était le chef, mais, en même temps, elle restait tenaillée par son refus de juger, et plus encore de condamner, une reine légitime, c'est-à-dire mise à sa place par Dieu lui-même. Elizabeth pensait néanmoins que la trahison était la pire des offenses. Lors du procès de Babington et de ses complices, elle avait fait dire à Burghley qu'elle souhaitait pour eux une mort plus cruelle que l'application de la peine légale. Burghley s'y opposa : la loi était la loi. Elle essuya un refus identique auprès du Conseil privé ainsi qu'auprès des juges. Babington et trois de ses complices subirent les premiers la peine des traîtres. Lorsqu'on raconta à la reine les souffrances qu'ils endurèrent avant de mourir, elle fut si bouleversée qu'elle donna l'ordre que les autres condamnés fussent pendus jusqu'à la mort, avant d'être éviscérés et coupés en morceaux.

Mary fit preuve de dignité et de panache au cours du procès. Lorsqu'on produisit les fameuses lettres, elle en nia l'authenticité. Amenée devant ses juges, elle dit fièrement : « Plutôt mourir mille fois que d'être sujette », ajoutant que « le théâtre du monde était plus vaste que le royaume d'Angleterre ». Mary fut condamnée à mort. Philippe II, Henri III, et même les lords écossais plaidèrent auprès d'Elizabeth en sa faveur. Selon l'historien élisabéthain William Camden, Leicester aurait suggéré de la faire assassiner pour éviter ce procès embarrassant. On dit aussi que la reine contacta en secret sir Paulet pour lui demander de faire discrètement disparaître Mary, mais que cet homme intègre avait refusé avec indignation. Burghley et Walsingham, quant à eux, voulaient absolument ce procès.

Entre la condamnation et l'exécution, il y avait un pas que la reine d'Angleterre avait du mal à franchir et c'est à contrecœur qu'elle transmit l'ordre d'exécuter la sentence, portant le grand sceau d'Angleterre. Dès le lendemain, elle envoya des instructions contraires. Indécision ? Remords tardifs ? Ou duplicité ? Ainsi, on ne pourrait l'accuser d'avoir voulu l'exécution de la reine des Écossais. À James VI, elle écrivit le 14 février 1587 une lettre qui constitue un monument d'hypocrisie, affirmant qu'elle avait été submergée par la douleur en apprenant l'« événement lamentable » arrivé à sa mère ; non seulement elle n'en était pas responsable, mais elle n'avait pas même pensé à la faire exécuter. James ne fut sans doute pas dupe ; néanmoins, entre sa mère et son royaume, il choisit le second.

La difficulté que la reine d'Angleterre éprouvait à prendre une décision irréversible est un trait familier de son caractère, on l'a dit. En 1572, elle avait par trois fois signé le décret d'exécution de Norfolk – et par trois fois elle était revenue sur sa décision. Mais ici, du fait qu'il s'agissait d'une « ointe du Seigneur », il lui avait été sans doute encore plus difficile de prendre la décision. En tout cas, puisqu'il fallait un coupable, elle sacrifia le secrétaire d'État en second, William Davidson, auquel elle avait confié l'ordre d'exécution. Elle l'accusa de ne pas avoir tenu compte de sa demande de la différer jusqu'à nouvel ordre, et le pauvre Davidson fut arrêté, incarcéré et condamné à payer une très lourde amende. Elizabeth avait réclamé sa tête ; une fois encore, les juges refusèrent et répondirent que la loi coutumière, dans son cas, ne prévoyait que l'emprisonnement et l'amende. Si vraiment elle lui avait demandé de différer l'ordre d'exécution, ce qui n'est pas certain, alors une seule personne pouvait être coupable d'être passée outre : William Cecil, lord Burghley, à qui Davidson avait transmis l'ordre de la reine. Par la suite, sous la pression du conseil, la dette de Davidson fut remise.

Le « flambage de la barbe du roi d'Espagne »

L'exécution de Mary Stuart peut être vue comme une victoire des puritains. De fait, ils exultèrent. Mais en France et en Espagne, l'indignation fut grande, même si certains, comme Philippe II, pouvait en tirer avantage : la mort de Mary Stuart avait écarté le danger que représentait pour lui l'alliance traditionnelle de la couronne écossaise avec la France. Philippe était alors au sommet de sa puissance et tout porte à croire qu'il avait en tête davantage qu'une expédition de représailles contre l'Angleterre. Sans doute voulait-il venger les attaques continuelles des corsaires de la reine sur ses navires, qui désorganisaient sérieusement le commerce ; il semble qu'après la mort de Mary Stuart avait germé dans son esprit l'idée de revendiquer la couronne d'Angleterre en invoquant une ascendance, du côté de son père comme de sa mère, qui remontait à Edward III. Quelques années plus tôt, il avait ainsi revendiqué la couronne portugaise en invoquant une ascendance par sa mère, puis il avait fait appuyer sa revendication par la puissante armée du duc d'Albe. Expédition punitive ou conquête du pouvoir ? En 1587, en tout cas, les préparatifs d'un débarquement en Angleterre allaient bon train à Lisbonne comme à Cadix – et nul ne l'ignorait en Angleterre.

Elizabeth avait l'humeur méchante et supportait de plus en plus mal les protestants européens. L'intervention aux Pays-Bas, mal commandée sans doute par Leicester, représentait un fiasco politique. Néerlandais et Anglais s'accusaient mutuellement d'être à l'origine de la perte de Deventer, ville importante de la ligue Hanséatique. Henri de Navarre ne cessait de lui demander de l'argent qu'elle estimait mal employé. Elle avait prêté 30 000 florins à Jean Casimir, duc du Palatinat, pour des résultats sur le champ de bataille si décevants qu'elle le regretta rapidement. Enfin, comme d'habitude, elle hésita sur la stratégie à observer. Au début de l'année 1587, elle refusa ainsi d'apporter une nouvelle aide financière aux Néerlandais. Huit jours plus tard, elle changeait d'avis et, le 21 février, envoyait 600 livres pour l'entretien de la garnison anglaise d'Ostende ainsi que 12 000 livres à Leicester. L'avenir des Provinces-Unies était menacé et Elizabeth aurait dû comprendre que le sort de l'Angleterre était étroitement lié à celui des États. La politique belliciste menée par Philippe II contre l'Angleterre sauva en vérité les Néerlandais du désastre : les préparatifs de l'*Armada* empêchèrent Alexandre Farnèse, troisième duc de Parme, de poursuivre la reconquête des territoires perdus aux Pays-Bas. À Rome, on parlait ouvertement de l'invasion espagnole en préparation, et le pape Sixte Quint invitait à la croisade contre la reine d'Angleterre.

La meilleure défense est l'offensive, dit-on. C'est ce que pensait Drake, qui proposa d'attaquer la flotte de Philippe II avant qu'elle eût quitté les ports espagnols. Burghley et Walsingham mirent au point l'expédition et en discutèrent avec la reine. Elizabeth se montra réticente de prime abord, car elle avait entamé des pourparlers avec Parme sur la situation des Pays-Bas. Ses conseillers parvinrent à la convaincre qu'il n'y aurait jamais d'accord et que Parme cherchait seulement à gagner du temps, l'*Armada* n'étant pas encore prête à mettre la voile. Ordre fut donc donné à Drake de couler les navires dans le port de Cadix. Drake et ses corsaires quittèrent l'Angleterre le 2 avril 1587. Le lendemain, Elizabeth ayant été informée que l'invasion de l'Angleterre avait été remise, ce qui était faux, envoya un contre-ordre à Drake : il ne devait pas attaquer les navires au port mais se contenter de se montrer le long des côtes. Seulement, Drake avait déjà pris le large et il ne reçut jamais le contre-ordre de la reine.

L'attaque surprise de Cadix, plus encore que le sac de Carthagène, fit la gloire du corsaire de la reine. Par une opération que les écoliers anglais connaissent sous le nom du « Flambage de la barbe du roi d'Espagne », Drake, en quelques heures, détruisit 33 navires, les entrepôts de la marine et une partie des bâtiments du port, retardant ainsi l'invasion de l'Angleterre d'une année. Fort de son succès, Drake se rendit ensuite aux Açores où il courut sus aux navires espagnols.

Drake rentra en Angleterre avec un butin s'élevant à 140 000 livres. Une partie revint à Elizabeth, à Leicester et aux autres nobles qui avaient investi dans l'entreprise. Elizabeth, en tant que principal investisseur, se tailla la part du lion : elle toucha 40 000 livres. La marine anglaise n'avait pas la capacité de faire le blocus de la péninsule ibérique, mais elle pouvait défendre le Royaume. En quelques mois, les Anglais mirent sur pied la défense de leurs côtes. Consciente du danger, Elizabeth avait fait accélérer la construction d'une douzaine de bateaux. Les navires de la reine gardaient désormais la mer du Nord et la Manche.

L'Invincible Armada

Dans le port de Lisbonne, le 30 mai 1588, la *Gran Armada* leva l'ancre pour faire voile sur l'Angleterre. Sa mission était d'escorter le gros des forces de débarquement. Elle devait faire sa jonction avec les troupes du duc de Parme, rassemblées dans les Flandres, avant d'attaquer l'Angleterre. La terrible infanterie espagnole aurait fait des ravages si elle avait pu débarquer, mais la marine anglaise, avec l'aide providentielle des vents qui soufflèrent en tempête, allait causer à l'Espagne une terrible et humiliante défaite, sans compter les lourdes pertes en hommes.

Placée sous le commandement du duc de Medina Sidonia, la *Gran Armada*, bientôt appelée par dérision l'*Invincible Armada*, se composait d'environ 120 bateaux, dont 64 vaisseaux de ligne ; elle transportait quelque 20 000 hommes de troupes et 8 000 marins. La flotte anglaise, commandée par Lord Howard, comprenait 197 voiles. À la marine royale s'étaient joints quantité de navires marchands, volontaires ou réquisitionnés. Comme le professeur Collinson, je dirai que l'histoire de la petite marine anglaise défaisant la grande *Armada* est un mythe : l'Angleterre possédait déjà la flotte la plus moderne et la mieux armée. Si l'on fait abstraction de l'aide providentielle des vents, on doit reconnaître la force de la marine anglaise. Le combat mit face à face deux flottes dont l'une était d'un autre âge : l'*Armada*, avec ses vaisseaux d'abordage lourds et peu maniables, représentait la vieille école ; la flotte anglaise était au contraire composée de voiliers rapides et maniables, capable de tirer à grande distance. Sur terre, les Anglais avaient aussi organisé leur défense. Ils avaient massé des troupes le long du littoral et leurs puissants canons étaient d'une grande mobilité, car montés sur roues. Il n'empêche qu'ils n'auraient pu faire face à une invasion massive.

La flotte espagnole rejoignit Calais sans encombre le 7 août 1588 où, conformément aux ordres de Philippe II, Medina Sidonia attendit l'arrivée des troupes du duc de Parme. Ce faisant, la flotte espagnole se trouva très exposée, aucune défense portuaire n'ayant été prévue en Flandre. Les Anglais attaquèrent les Espagnols avec des brûlots et des barques bourrées d'explosifs, créant la panique. Redoutant les incendies, les capitaines espagnols coupèrent les amarres et leurs navires dérivèrent dans la mer du Nord. Mais le danger espagnol n'était pas écarté pour autant. Les forces de Parme étaient intactes et Elizabeth craignait un débarquement sur les côtes sud.

La reine participa activement aux préparatifs de défense, ne négligeant aucun détail, rassemblant une flotte aussi puissante que possible, choisissant elle-même, rapporte William Camden, les hommes les plus compétents pour les fonctions où ils pourraient se montrer les meilleurs. À Tilbury, à l'embouchure de la Tamise, un camp avait été installé, placé sous le commandement de Leicester. Elizabeth s'y rendit en barge depuis Westminster, et prononça le 9 août l'un de ses plus beaux discours. Jamais elle n'avait été aussi populaire qu'en cet été de 1588. L'heure du danger avait fait l'unité de son peuple autour d'elle et Elizabeth montra à l'occasion toutes les qualités d'une grande souveraine, peut-être parce qu'elle n'avait plus à prendre de décisions : les dés étaient jetés. Leicester était le commandant suprême des forces terrestres ; lord Howard of Effigham, secondé par Francis Drake, était Grand Amiral de la flotte. Elle fut sans aucun doute l'âme de la résistance. Elle fut en l'occasion la Déborah de la Bible, à laquelle elle avait été si souvent identifiée lorsqu'elle avait pris le pouvoir voici trente ans :

Mon Peuple bien-aimé,
Nous avons été persuadés par certains proches, soucieux de notre sécurité, de ne pas nous présenter devant des multitudes armées, par crainte d'une trahison. Moi je vous dis que je ne saurais me méfier de mon peuple fidèle et bien-aimé. Laissons la peur aux tyrans. J'ai toujours placé ma force et ma sécurité, après Dieu, en mes

loyaux sujets [...] Je n'ignore pas que j'ai le corps d'une faible femme, mais je possède le cœur et l'estomac d'un Roi, et qui plus est, d'un roi d'Angleterre, et je mets en garde le duc de Parme, l'Espagne, et tout autre Prince d'Europe qui oserait envahir mon royaume. Plutôt que de souffrir le déshonneur, je prendrai moi-même les armes ; je serai moi-même votre général, votre juge, et je récompenserai votre vertu sur le champ de bataille. Je sais que déjà, par votre ardeur, vous avez mérité des récompenses et des couronnes. Nous vous en donnons notre parole de Prince, vous les recevrez.

Montée sur un cheval blanc, elle inspecta les troupes, escortée par son « doux Robin ». Un témoin remarqua sa silhouette majestueuse, sa perruque rouge, ses dents gâtées, et la cuirasse d'argent, brillant au soleil, qu'elle portait sur un vêtement de velours blanc.

Alors que la reine se trouvait au camp de Tilbury, elle fut informée que la flotte espagnole avait été vue filant vers le nord. Le vent poussait en effet les navires espagnols vers les bancs de sable des Flandres. Un combat violent s'était déroulé au large de Gravelines le 8 août. Les navires espagnols avaient tenté en vain des manœuvres d'abordage contre les vaisseaux anglais qui les esquivèrent sans difficulté et les mitraillèrent du feu de leurs canons. Le soir venu, la défaite espagnole était consommée. Le vent paracheva la victoire anglaise, poussant les rescapés de la *Gran Armada* toujours plus au nord. Les Anglais abandonnèrent la poursuite à la hauteur des côtes écossaise. Il ne restait plus à Medina Sidonia qu'à retourner en Espagne. Retour du vaincu : 15 000 hommes périrent et seuls 66 navires de la *Gran Armada* réussirent à revenir au port. Beaucoup s'échouèrent sur les côtes de l'Ulster. Alarmé par la présence sur le territoire irlandais de quelque 5 000 soldats catholiques, le *Lord Deputy* William Fitzgerald donna l'ordre de les tuer tous. Les Anglais interprétèrent leur victoire comme un miracle de Dieu pour sauver la reine, son peuple, et la vraie religion. Des vents d'une telle violence, en un moment si dramatique, ne pouvaient avoir été excités que par Dieu.

La victoire fut bien anglaise et nul en Europe n'en douta. Tous ceux qui étaient hostiles à l'Espagne chantèrent la gloire de la reine Elizabeth et la grandeur de l'Angleterre.

17

Le second règne d'Elizabeth

Le passage du flambeau

La victoire eut un goût doux-amer pour Elizabeth : Robert Dudley, comte de Leicester, le seul homme qu'elle eût sans doute jamais aimé, mourut le 4 septembre 1588 dans sa maison de l'Oxfordshire, à l'âge de 56 ans. En apprenant la nouvelle, elle s'enferma dans sa chambre, refusant d'ouvrir même à ses plus proches conseillers, si bien qu'ils firent enfoncer la porte, craignant pour sa raison. Il lui avait écrit la veille de sa mort pour lui demande une faveur pour l'un de ses serviteurs. Elizabeth écrivit au bas de la page : « Sa dernière lettre », et elle la rangea dans un coffret qu'elle garda sur sa table de nuit jusqu'à sa mort. Vis-à-vis de Lettice, la seconde femme de Leicester, elle montra en revanche toute la dureté dont elle était capable : elle l'obligea à vendre ses biens afin de rembourser les dettes que son mari avait contractées auprès de la couronne, et les joyaux qu'il avait laissés à Elizabeth dans son testament ne furent pas même pris en compte.

La reine se remit au travail, soutenue par Christopher Hatton qui, depuis des années, avant même d'entrer au conseil privé, n'avait cessé de veiller sur elle ; il était juste que la reine lui donnât le poste de *Lord Chancellor* en 1587. Il était l'homme de la modération et de l'impartialité, guidé par la raison et non par la passion. Il était aussi bon orateur. Fidèle serviteur, d'une loyauté sans faille vis-à-vis d'Elizabeth, il était son porte-parole, s'adressant aux membres du Parlement avant que la reine elle-même n'intervînt. Lorsque le nouveau Parlement se réunit le 4 février 1589. Christopher Hatton ouvrit la séance par un discours dans lequel il fustigea le pape Sixte Quint qui, « dans le domaine de la tyrannie et de la cruauté, dépassait tous ses prédécesseurs ». Le pape avait en effet excommunié à son tour la reine d'Angleterre et affirmé, comme son prédécesseur, qu'il fallait « châtier » l'usurpatrice. Puis, sur ordre d'Elizabeth, Hatton s'en prit aux puritains et à leurs amis, interdisant aux membres du Parlement d'évoquer la cause de la religion, sinon pour faire cesser les plaintes continuelles des mécontents.

Il faut dire que les puritains non seulement continuaient à se plaindre des vêtements et cérémonies « papistes » conservés dans l'Église anglaise, mais quelques radicaux faisaient maintenant circuler dans le royaume une série de tracts signés du nom de Martin Marprelate, qui attaquaient les membres haut placés de l'Église avec férocité et drôlerie. Le nom de Martin Marprelate peut être traduit, comme le fait Bernard Cottret, par « Martin-qui-se-moque-bien-des-prélats ». La reine fut outrée et les anti-conformistes de l'Église d'Angleterre, autant que les conformistes, furent justement choqués. Les puritains n'avaient pas besoin, pour faire entendre leurs revendications, de la prose irrévérencieuse d'extrémistes. Les *Marprelate tracts* leur furent nuisibles, d'autant que la défaite de la *Gran Armada* avait montré au peuple anglais que Dieu se tenait au côté de l'Angleterre, et donc qu'il n'y avait rien de contraire à la « vraie » foi dans l'Église établie. Sur une médaille commémorant la victoire, les premiers mots d'Exode 15, 10, gravés en latin, exprimaient l'opinion courante : « Tu as soufflé, la mer les a recouverts. » Qui pouvait douter que Dieu avait sauvé l'Angleterre en suscitant la tempête ? L'idée que les Anglais pourraient être le nouveau peuple élu commença à faire son chemin dans les esprits de quelques *divines*. L'Angleterre était de toute façon une nation aimée de Dieu, de cela tous étaient convaincus.

On fit la chasse aux extrémistes, on en arrêta quelques-uns ; et les séparatistes, des petits groupes de mécontents qui jugeaient l'Église d'Angleterre corrompue au-delà de toute possibilité de réforme, furent contraints de s'exiler aux Pays-Bas. Les Communes comptaient beaucoup de puritains parmi leurs membres et chaque occasion était bonne pour eux de faire part de leurs griefs ; c'est pourquoi, une fois encore, lorsque le Parlement se réunit, au mois de février 1592, le nouveau *Lord Chancellor*, John Puckering, nommé après la mort de Hatton, l'année précédente, interdit formellement que l'on parlât de religion et déclara que la reine ne tolérerait aucune critique. Il fut décidé que les activités séditieuses des puritains seraient punies par le bannissement du royaume et celles des catholiques par une forte amende. Ce rapprochement entre les deux groupes fit grincer les dents des puritains.

Ils vivaient des heures difficiles. L'espérance en une réforme plus achevée de l'Église s'estompait à mesure que disparaissaient leurs plus fidèles soutiens parmi les bons compagnons de la reine. La mort de Francis Walsingham, qui suivit de près celle de Leicester et de son frère Warwick, leur porta un coup très rude. Walsingham fut en vérité pleuré par tous en Angleterre, et comme l'écrivit Philippe II dans la marge d'une lettre qu'il avait reçue d'un de ses agents : « Là-bas, oui. Mais ici, c'est une bonne nouvelle. » Burghley était toujours aux commandes, mais il était vieux et malade. De même que sir Francis Knollys, fidèle d'entre les fidèles, âgé de près de 80 ans. Knollys avait été si choqué par l'assimilation des puritains aux papistes qu'avait faite la reine, qu'il avait voulu quitter le conseil. À Burghley, il avait écrit : « Comment Sa Majesté peut-elle être persuadée que les puritains représentent un danger aussi grand que les papistes ? »

Les puritains espéraient maintenant en la sympathie du nouveau favori, Essex, pour appuyer leurs revendications auprès de la reine. À l'occasion, il prit en effet leur défense plus peut-être pour provoquer la reine que par conviction. Ainsi, lorsqu'Elizabeth lui annonça que toute personne prise à lire les *Marprelates tracts* serait punie, Essex sortit de sa poche l'un de ces fameux tracts et lui dit que dans ce cas, elle devrait le punir. Plus qu'à la religion, Essex s'intéressait à l'action et, par son rang et son tempérament de « va-t-en-guerre », il prit naturellement la tête de la nouvelle génération de jeunes loups qui rêvaient de faits glorieux. Quand Hatton mourut, la reine s'était consolée auprès de lui. Car elle avait été très émue par la mort de son ancien favori. Lorsqu'il était tombé malade, elle lui avait rendu visite à plusieurs reprises et même, quand il n'eut plus la force de s'alimenter, elle lui avait fait prendre sa soupe à la petite cuillère.

La mort successive de tous ses compagnons de route marquait la fin d'une époque. Elle ne les oublia pas, mais elle tourna la page ; et pour le jeune et fougueux Essex, la reine vieillissante eut les yeux de Chimène.

Une gloire montante

Essex était frustré de batailles. Or l'heure était à la guerre. L'exaltation patriotique causée par la défaite espagnole était tombée et il avait fallu faire les comptes. La victoire avait coûté cher à la couronne. Elizabeth avait néanmoins décidé de poursuivre la lutte contre l'Espagne car si l'Angleterre connaissait un répit, grâce à la victoire sur la *Gran Armada,* Philippe II restait redoutable et représentait toujours une menace. Le temps n'était plus pour l'Angleterre de jouer les arbitres entre la France et l'Espagne, tenant plus ou moins en équilibre les plateaux de la balance. La France était ravagée par la guerre que les catholiques menaient contre Henri IV, roi légitime de France depuis l'assassinat de Henri III par un moine exalté. Au Conseil, les bellicistes eurent la main haute et la reine pacifiste devint commandant en chef. La fin de son règne, période que l'on appelle souvent le second règne d'Elizabeth, fut marquée par la guerre ouverte contre l'Espagne. L'ingérence de Philippe II dans les affaires françaises était flagrante, bien qu'il n'y eût pas de déclaration de guerre puisque le roi d'Espagne ne reconnaissait pas la légitimité d'Henri IV, roi protestant. Les Espagnols avaient mis une garnison à Paris et établi une tête de pont en Bretagne, d'où ils espéraient organiser un débarquement aux Pays-Bas, ou en Irlande. Apporter son aide à Henri IV était devenu impératif pour l'Angleterre. Il fallait à tout prix empêcher la France de tomber aux mains de Philippe et de ses alliés.

Une attaque des ports de la péninsule ibérique fut décidée au Conseil. Les objectifs étaient multiples et un peu flous. Il semble que les Anglais voulaient tout à la fois mettre le prétendant don Antonio sur le trône du Portugal, détruire la flotte de Philippe II, et se saisir des trésors rapportés d'Amérique et d'ailleurs. On parlait aussi au conseil d'occuper les Açores. La première expédition fut confiée au marin Francis Drake et à sir John Norris, pour les forces terrestres. L'investissement pour une telle expédition était considérable mais elle pouvait rapporter gros. La reine dut vendre une partie de ses terres pour trouver l'argent nécessaire à sa participation qui se monta à 60 000 livres ; le reste fut couvert par des marchands anglais, des nobles et d'autres investisseurs motivés autant par la quête de profits que par l'amour de leur pays. Des bateaux néerlandais se joignirent à la flotte anglaise. Les volontaires affluèrent à Plymouth, port de départ de la flotte. Il y en eut bientôt trop. On en renvoya une partie chez eux, d'autant que la plupart étaient inexpérimentés. L'expédition s'organisa lentement. La reine s'impatientait, craignant que l'Espagne eût vent de l'opération, ce qui aurait réduit à néant l'effet de surprise. Essex voulait aussi faire partie de l'expédition, mais la reine le lui interdit, exigeant qu'il restât à la cour. Il n'en tint absolument pas compte et rejoignit à triple galop Portsmouth où il embarqua avec le célèbre capitaine gallois sir Roger Williams. Elizabeth était furieuse et envoya des messages à Francis Drake et à Norris, leur intimant l'ordre de renvoyer Essex en Angleterre. Celui-ci refusa d'obéir. La reine écrivit à nouveau et cette fois, avertit Drake et Norris qu'ils auraient à répondre de sa désobéissance. Essex fut donc renvoyé auprès de la reine dont le mécontentement croissait au fil des nouvelles qu'elle recevait.

L'expédition dura trois mois. En chemin, Norris et Drake avaient décidé d'attaquer La Corogne, en Galicie. La ville basse fut conquise, mais la ville haute résista et c'en fut fini de l'effet de surprise. Le prétendant don Antonio, que les Anglais avaient emmené dans leurs bagages, débarqua à Peniche, mais contrairement aux espérances anglaises, les Portugais résistèrent aux « libérateurs ». Seuls 2 000 d'entre eux rejoignirent don Antonio qui au bout de quinze jours regagna la flotte. De plus, Drake crut bon de s'emparer de navires allemands chargés de blé qui n'avaient pas respecté le blocus. Elizabeth dut présenter des excuses et reconnaître par écrit que l'attaque de Drake était une atteinte à la neutralité des villes hanséatiques. Incapables de prendre Lisbonne, Drake et Norris réclamèrent des renforts qui leur furent refusés et Elizabeth donna l'ordre du retour. Il y avait eu peu de profit. Selon certaines sources, l'expédition aurait coûté 126 000 livres. Un assez grand nombre de marins et de soldats moururent, victimes de la peste plus que des boulets et des mousquetons espagnols.

Les Anglais ne s'arrêtèrent pas à ce demi-échec. Ils continuèrent à harceler les navires espagnols partout où ils se trouvaient, non sans perte pour la marine anglaise. Ainsi, en 1591, au cours d'une bataille navale au large des Açores, le superbe navire *Revenge*, un galion de 46 canons construit en 1577, fut capturé par l'ennemi, puis sombra. L'année suivante, les Anglais portaient à leur tour un rude coup aux Espagnols en s'emparant du caraque *Madre de Dios*, au large de l'île de Flores, aux Açores, énorme navire chargé de l'argent du Pérou et d'une grande quantité de missels, bréviaires et chapelets. L'opération rapporta 80 000 livres pour un investissement de 3 000.

La guerre en France permit à Essex de parfaire l'image de chevalier héroïque qu'il voulait se forger en allant lutter contre les papistes au côté d'Henri IV. Essex avait obtenu le commandement de la force expéditionnaire anglaise envoyée par la reine. Son courage était grand, comme aussi son envie de le montrer et son sens du décorum, bon à impressionner ennemis et amis. Un témoin raconte son arrivée à Compiègne avec ses 4 000 fantassins et ses 600 cavaliers :

> Quant à la personne dudit comte d'Essex et de ceux de sa suite, il ne se pouvait rien voir de plus magnifique. [...] Il avait devant lui six pages montés sur de grands chevaux, habillés de velours orangé, tout en broderie

d'or, et lui avait une casaque de velours orangé, toute couverte de pierreries.

Malgré la nécessité pour l'Angleterre de soutenir Henri IV, la reine ne le secourra qu'avec réticences et il est clair que ses objectifs n'étaient pas les mêmes que ceux du Béarnais. On peut penser qu'elle avait en tête la récupération de Calais, voire prendre Rouen. Elle se tenait informée des opérations militaires et ne se faisait pas faute de critiquer la stratégie d'Henri IV. Il est vrai que le Béarnais se montra parfois inconséquent. Elle reprocha également à Essex une folle équipée du côté de Compiègne au cours de laquelle Walter Devereux, son frère, avait trouvé la mort. Blessé par le peu de compassion qu'elle montra alors, Essex écrivit à Robert Cecil pour le faire juge de la situation : la reine n'était-elle pas « une dame cruelle » et lui un « malheureux serviteur » ? Elizabeth réclama son retour. Avec Henri, ses rapports étaient difficiles et elle lui écrivit pour lui reprocher d'avoir perdu son temps et l'argent anglais en opérations futiles dans le nord-est de la France au lieu de concentrer ses forces sur Rouen. En réalité, la prise de Noyon avait ouvert à Henri IV toute la Picardie, mais la reine ne voulut pas en convenir. Elle n'avait consenti à lui envoyer des secours que pour prendre Rouen, aux mains des Ligueurs. Son humeur était aigre et sa rancœur contre Henri grandit encore, lorsqu'elle apprit sa conversion au catholicisme. Elle réagit néanmoins en reine et lui envoya une lettre au ton pathétique dans laquelle elle exprimait sa peine qui était certainement réelle : « Oh, quelles douleurs ! Oh, quels regrets ! » Elle fut si choquée en apprenant la nouvelle qu'elle voulut immédiatement retirer ses troupes de France. Burghley réussit à la convaincre de n'en rien faire et de donner l'ordre aux troupes d'attendre dans les îles anglo-normandes la suite des événements. Finalement, le contingent anglais d'Essex fut envoyé en Bretagne pour poursuivre le combat contre les Espagnols. Les intérêts de la défense commune contre Philippe II primèrent sur le sentiment douloureux de trahison qu'Elizabeth ressentit en apprenant la conversion d'Henri IV ; et il en fut de même des autres alliés protestants. Les uns et les autres furent contraints de constater la force de la conception catholique de la monarchie française.

L'épopée de Cadix

Essex rentra en Angleterre en janvier 1592. Bien qu'il eût montré son courage au combat, il n'avait pas accompli grand-chose. Au cours des années suivantes, il grimpa les échelons du pouvoir. Il entra au Conseil privé en 1593 et rallia autour de lui tous ceux qu'irritait la position privilégiée qu'y occupaient les Cecil, William lord Burghley et son fils Robert. Il trouva parmi les mécontents l'homme de loi et philosophe Francis Bacon, qui devint son conseiller politique. Comme Robert Cecil, Bacon était un héritier ; son père, Nicolas, avait été l'un des artisans du règne d'Elizabeth. Il était fort différent d'Essex, qui faisait toujours dans la démesure, mais il avait besoin de son soutien dans sa lutte contre le clan Cecil. Alors il s'en accommoda et l'appuya au

Conseil, jusqu'au jour où il jugea qu'il était devenu trop dangereux.

Essex se voulait « homme de jugement », dit-on. Il était surtout un homme d'action qui ne rêvait que d'entreprises à haut risque et, en ces années 1590, de grandes aventures en mer. Il y avait une place à prendre dans le cœur des Anglais : Francis Drake et John Hawkins, les corsaires de la reine, étaient tous deux morts de maladie au cours d'une opération menée en 1595 contre les intérêts espagnols aux Caraïbes. Son pouvoir de séduction et l'appui des bellicistes au Conseil lui permirent d'obtenir de la reine le commandement d'une expédition punitive contre Philippe II. Habilement, il avait mis en avant l'aspect lucratif de l'opération pour obtenir l'approbation d'Elizabeth. La reine affréta une formidable flotte composée de 150 vaisseaux et de 48 navires de guerre emportant quelque 6 000 soldats. L'armada fut partagée en quatre escadres, commandées par Essex, Charles Howard of Effigham, le *Lord High Admiral*, sir Walter Raleigh et lord Thomas Howard. Tous avaient une forte personnalité et Raleigh et Essex se détestaient – d'où les conflits inévitables entre chefs. Essex, qui avait dressé les plans de l'expédition, raconta plus tard qu'il eut fort à faire pour rappeler à chacun « le rang et la place qui lui étaient assignés ».

La flotte anglaise quitta Plymouth le 1er juin 1596. Elizabeth prononça à l'occasion un discours dans lequel elle invoqua la grâce de Dieu afin d'éviter les fléaux qu'étaient le lucre et la violence aveugle. En définissant la mission de la flotte, elle avait demandé que les populations fussent épargnées, particulièrement les femmes et les enfants, et que le butin servît pour couvrir les frais de l'expédition et récompenser les actes de bravoure. Trois semaines plus tard, les Anglais arrivaient à Cadix et cette fois-ci, l'effet de surprise fut total. Les services d'espionnage espagnols n'avaient pas fonctionné et la défense du port n'avait pas été organisée. Ce fut une magnifique victoire à porter au crédit d'Essex : les Anglais détruisirent tous les bateaux à l'ancre dans le port, prirent d'assaut la ville, et imposèrent un lourd tribut à la population sous la menace de la détruire par le feu. Sur la route du retour, Essex et ses soldats mirent à sac Faro, et pillèrent la magnifique bibliothèque de l'archevêque de l'Algarve. À son retour, il offrit son butin à la bibliothèque de l'université d'Oxford. Essex était devenu un héros aux yeux du peuple et de la reine. Elizabeth garda néanmoins la tête froide. Elle l'aimait, mais elle était capable de lui résister, et lorsqu'il se montra par trop arrogant, elle eut vite fait de donner de l'avancement à Robert Cecil et à Walter Raleigh. Essex bouda. Puis se réconcilia avec ses rivaux, et une nouvelle expédition maritime, avec les quatre mêmes chefs, fut organisée.

Pour Philippe II, l'humiliation était totale. Sa réaction, malgré son état de santé déficient, fut étonnamment rapide. En deux mois, il lança une nouvelle *Armada* dont la mission fut d'envahir l'Irlande et d'y soutenir une rébellion. L'Espagne avait toujours vu l'Irlande comme un pays frère qui pourrait servir de base pour harceler l'Angleterre, voire la conquérir. Des missionnaires et des agitateurs espagnols et italiens parcouraient régulièrement le pays, exhortant le peuple à se libérer de l'occupation

anglaise, promettant l'aide de Philippe et du pape.
Le moment était venu. En 1594, le grand chef irlandais Hugh O'Neil, comte de Tyrone, qui avait reçu
en Angleterre l'éducation raffinée d'un seigneur de
la Renaissance, avait soulevé les populations de
l'Ulster au nom de l'Irlande celtique et catholique.
Philippe leur promit un soutien puissant.

En vérité, la politique anglaise menée depuis des
siècles en Irlande avait eu pour résultat de pousser
le peuple irlandais dans les bras de l'Espagne et de
l'Église catholique romaine et de faire de l'Irlande
un bastion de la lutte contre l'Angleterre. Hugh O'Neil
s'associa avec un autre chef de clan, Hugh O'Donnel,
comte de Tyrconnel, et ensemble ils menèrent le
combat pendant neuf ans, mettant le pays à feu et à
sang. Parmi les colons terrorisés de la province
d'Ulster qui prirent la fuite pour échapper aux
rebelles se trouvait le poète Edmund Spenser, auteur
de *The Faerie Queene*, mais aussi d'un terrible traité
contre l'Irlande dans lequel il préconisait l'éradication totale de sa culture et de sa religion par les
moyens les plus sévères. Dans les dix dernières
années du règne d'Elizabeth, l'Angleterre dut se
battre sur plusieurs fronts : la mer, la défense du territoire, la France, les Pays-Bas et l'Irlande. L'Irlande,
indubitablement, représenta pour l'Angleterre le
danger le plus grand.

18

Les dernières années

L'affaire irlandaise

L'Irlande était théoriquement conquise. Jusqu'à Henry VIII, les Anglais avaient joué un rôle assez passif dans les affaires intérieures irlandaises. Puis Thomas Cromwell voulut « angliciser » les populations. Il y réussit tant bien que mal dans les villes mais, dans les campagnes, surtout à l'ouest et au nord du pays, les habitants continuèrent à parler la langue celte et à pratiquer leur catholicisme particulier. Le christianisme irlandais s'était développé dans un terrain fortement marqué par la religion des druides, détenteurs et gardiens de la vision prophétique, des sacrifices, du calendrier rituel. L'Église irlandaise fut monastique, comme d'ailleurs toutes les Églises celtes, et il est bon de rappeler que les Irlandais, isolés dans leur île, sauvèrent la civilisation chrétienne de l'anéantissement lorsque les hordes barbares envahirent le continent. Comme l'Écosse, l'Irlande était organisée en clans. Ce fut sa faiblesse et les Anglais surent exploiter les divisions en lançant les chefs les uns contre les autres. L'« anglicisation », qui s'accompagnait d'une « protestantisation », provoqua des désordres et même, de temps à autre, des soulèvements toujours durement réprimés. Dans les années 1580, une insurrection à caractère religieux dura quatre années. Mais plus qu'au retour à un catholicisme romain, les rebelles voulaient mettre un terme à l'acculturation de la population : en perdant sa langue et ses coutumes, l'Irlande perdait son âme. La tâche la plus rude pour les vice-rois successifs fut d'ailleurs de remplacer les lois de Brehon (*Breitheamh*) par la *Common Law* anglaise, et d'adapter les coutumes gaéliques aux coutumes anglaises.

La politique suivie par la couronne était celle de la colonisation des terres par des Anglais qui amèneraient leurs voisins irlandais à se « civiliser ». Elizabeth n'avait jamais visité l'Irlande, et il est probable qu'elle n'aurait pas même été capable, comme le fait remarquer le professeur Collinson, de localiser sur une carte les quatre provinces de l'Irlande : Leinster, Munster, Connaught et Ulster. Néanmoins, elle était en contact avec les membres de la vieille aristocratie anglo-normande établie depuis longtemps sur ces terres celtes. Ils venaient régulièrement à sa cour, de même que certains chefs irlandais, tel Shane O'Neil, formidable guerrier et, selon des contemporains, « vrai sauvage ». Notons que lorsqu'Elizabeth rencontra O'Neil, la conversation se fit en latin car l'Irlandais ne parlait pas anglais. La reine était tantôt en faveur d'une politique d'apaisement vis-à-vis du peuple irlandais, tantôt pour un accroissement de la répression. Sa colère s'abattait régulièrement sur les vice-rois ; et beaucoup de ses conseillers étaient pour une répression sévère, car dans le contexte politico-religieux des années 1590, ils craignaient un soulèvement des populations, armées et encadrées par les Espagnols.

Peut-on parler d'un régime affaibli ? Il semble que oui. La mort des principaux conseillers de la reine, qui pour la plupart étaient avec elle depuis le début de son règne, provoqua une certaine déstabilisation du conseil. Leicester, Hatton, Burghley, pour ne nommer que ces trois conseillers de la reine Elizabeth, n'étaient pas toujours d'accord, il s'en faut ; mais lorsqu'un danger menaçait le pays, ou leur reine, ils savaient faire taire leurs différences pour travailler ensemble en harmonie parfaite. Les rivalités s'éteignaient devant la reconnaissance du danger. Lorsque Leicester voulut forcer l'union de l'Angleterre avec les Pays-Bas en acceptant le poste de gouverneur général, ou que la reine hésitait à faire exécuter Mary Stuart, le conseil agit comme un seul homme en protégeant Leicester et en détruisant Mary. Cette coopération, ce respect mutuel que les membres du Conseil se portaient, disparut peu à peu. Dans les dernières années du siècle, le conseil privé de la reine fut la proie des factions : d'un côté, on trouvait Essex et Francis Bacon ; de l'autre le vieux Burghley, dont la présence se faisait de plus en plus rare, et son fils Robert Cecil, dont l'influence grandissait. La reine, de plus, ne se privait pas de jouer une faction contre l'autre. Elle avait ainsi nommé Robert Cecil secrétaire d'État pendant qu'Essex était en mer. Le favori écrivit à Elizabeth qu'il en avait eu le « cœur brisé ». La reine, en vieillissant, avait pris l'habitude exécrable de boxer les oreilles de ses conseillers et de gifler ses dames d'honneur. Tous acceptaient avec résignation les colères royales. Mais Essex refusa ce traitement qui offensait son honneur et un jour qu'elle lui portait des coups sur les oreilles parce qu'il lui avait tourné le dos, il mit la main à son épée. À son ami Egerton, garde du Grand Sceau, qui l'exhortait à faire preuve de patience, il avait écrit :

> La reine a le cœur dur. Je sais ce que je lui dois comme sujet, mais je sais aussi, en tant que comte et maréchal d'Angleterre, que je n'ai pas à être son domestique ou son esclave.

Les nouvelles reçues d'Irlande étaient mauvaises. Partie de l'Ulster, la révolte s'étendait. Difficile de faire face à des opérations de guérilla. Les Irlandais n'ayant ni cavalerie ni artillerie ne recherchaient pas les batailles rangées ; leurs forces, composées surtout de paysans, menaient des opérations de harcèlement et, contrairement à l'idée que les Anglais s'en faisaient, étaient bien organisés et disciplinés. Philippe II mourut en 1598, mais le danger demeurait. Si les Espagnols parvenaient à y débarquer des troupes, la situation deviendrait très dangereuse. Le conseil prit la décision d'envoyer Essex rétablir l'ordre avec la charge et le titre de gouverneur. On lui confia une force de 20 000 hommes, dont 1 300 cavaliers. Non seulement le parti belliciste au conseil le soutint, mais même ses ennemis appuyèrent sa nomination, trop contents de l'envoyer combattre dans les tourbières irlandaises. La reine hésita, puis finit par céder. Essex confia à un ami : « Je vais en Irlande. La reine en a décidé ainsi. Je dois à ma réputation de ne pas refuser, car si l'Irlande venait à être perdue, on dirait que j'avais été appelé pour éteindre le feu et que je ne l'ai pas voulu. » Sa mission était de rétablir l'ordre et la « vraie » religion en Irlande et de capturer le rebelle Hugh O'Neil, comte de Tyrone, le fils de Shane.

Essex traversa Londres à cheval, acclamé par la foule. Shakespeare lui rendit hommage en imaginant, dans le prologue du dernier acte de *Henry V*, Essex rentrant d'Irlande, tel que Henry V victorieux et glorieux était revenu de France :

Mais voyez maintenant,
Vite forgée dans l'atelier de la pensée,
L'image de Londres répandant le flot de ses citoyens
Le maire et tous ses collègues, en tenue d'apparat
Tels les sénateurs de la Rome antique suivis
Des plébéiens massés derrière eux, vont pour l'accueillir
À la rencontre de leur César conquérant.
De même, comparaison moins haute mais non moins aimable
Si le général de notre gracieuse impératrice
Revenait à présent d'Irlande – comme un jour il le fera ;
Peut-être ramenant la rébellion embrochée
Sur son épée, combien quitteraient la paisible cité
Pour le saluer ! Bien plus nombreux et à plus forte raison
Pour acclamer ce Harry.

La chute d'Essex

Hélas, le vaillant Essex multiplia les erreurs. Elizabeth ne s'inquiéta pas seulement pour la vie de son favori mais aussi pour la pureté de ses intentions. La première erreur fut la création de nombreux chevaliers, contrairement aux ordres de modération en ce domaine qu'il avait reçus. Certes, il avait pouvoir de nommer et révoquer les officiers de son armée, et d'armer des chevaliers ; seulement il en nomma tant qu'on le soupçonna de vouloir former une armée personnelle qui lui permettrait, pourquoi pas, de prendre le pouvoir par la force. Une autre erreur fut de traiter avec les chefs rebelles sans en référer d'abord à la reine. Une autre encore fut de mener des opérations militaires contraires aux ordres qu'il avait reçus.

Il sombra dans le bourbier irlandais. La reine voulait qu'il portât le combat en Ulster ; mais Essex estimait la tâche impossible sans des renforts, et on les lui refusa. Alors il alla guerroyer ailleurs, puis tenta de traiter avec Tyrone qui menait le combat pour la libération de son pays. Le chef irlandais attendait toujours le secours des Espagnols. Ceux-ci tardant, il avait proposé pour gagner du temps de rencontrer Essex sur les bords de la rivière Lagan, au gué d'Aclint, à la lisière des comtés de Louth et de Monaghan. Les deux hommes s'y rendirent à cheval, sans témoin, chacun se tenant sur une rive de la rivière.

Quelles promesses Tyrone obtint-il d'Essex ? Officiellement un pardon s'il se soumettait à l'autorité de la reine d'Angleterre. Ce qui est sûr, c'est qu'ils signèrent une trêve dont la reine, lorsqu'elle fut mise au courant, refusa les termes, les jugeant déshonorants pour l'Angleterre. Elle écrivit à Essex : « Tyrone a toujours cherché des échappatoires. Faire confiance à ses serments est aussi illusoire que de prêter foi à la religion du diable. » Le ton des lettres qu'elle adressait à son favori était de plus en plus acide. Dans celle du 14 septembre 1599, elle lui reprocha de ne pas tenir compte des instructions qu'il recevait et de faire tout le contraire. Pis, « vos actions, dit-elle, montrent qu'elles sont menées de façon à ne pas nous donner le temps de les annuler ». Et une fois encore, elle lui ordonna d'attaquer l'Ulster. Mais Leicester avait déjà quitté l'Irlande, alors même que la reine le lui avait formellement interdit ; et le 29 septembre, avec une forte escorte de cavaliers, il fit irruption au château de Nonsuch où elle se trouvait. Il entra dans sa chambre sans y être invité. Elizabeth n'était pas encore habillée, ni maquillée, et ne portait ni perruque ni bijoux, son visage montrant crûment les ravages de l'âge ; elle le reçut néanmoins amicalement. Quelques jours plus tard, elle lui retirait toutes ses charges et donna l'ordre au Conseil privé de dresser une liste de ses offenses. Elle considéra son action comme une insulte à l'autorité royale. Ce qu'elle était. Essex voulait-il montrer par ce geste inconsidéré que la reine n'était plus vraiment en charge des affaires du royaume ? Ou bien était-ce le préliminaire à un coup d'État ? Il était aimé par le peuple et avait nombre de partisans dans le royaume…

Lorsqu'il fut entendu, il chercha à justifier son retour impromptu : il n'avait pas abandonné son poste et avait laissé des instructions avant de quitter l'Irlande. Rien n'y fit. Le soir même, il était mis aux arrêts dans sa chambre sur ordre de la reine. Le lendemain, il fut à nouveau entendu. Puis, le 1er octobre, Elizabeth le fit enfermer à York House. Elle écrivit au conseil de Dublin que la disgrâce d'Essex n'était pas la conséquence de l'accord passé avec Tyrone, mais de son retour en Angleterre, contrairement aux ordres donnés. Elle confirma l'offre de pardon faite par Essex au chef irlandais. Seulement O'Neil refusa de se soumettre sans avoir obtenu la promesse d'une tolérance religieuse pour les catholiques irlandais. Alors la guerre se poursuivit. Pour remplacer Essex, Elizabeth nomma Charles Blount, huitième baron Mountjoy. Il fut l'homme de la situation. Il prit l'Ulster et ses lieutenants sécurisèrent la province de Munster. Quand les Espagnols débarquèrent enfin une petite force à Kinsale, au sud-ouest du pays, il était trop tard pour changer le cours de la guerre. La conquête de l'Irlande fut quasiment terminée à la fin de l'année 1601. O'Donnel, l'alliée de Tyrone, parvint à fuir sur le continent, rejoint plus tard par Tyrone, qui fut le dernier chef irlandais à se rendre. Lorsque Mountjoy et Tyrone signèrent la paix à Mellifont, Elizabeth était morte et Essex avait été exécuté pour trahison.

Le héros terrassé

Les griefs contre Essex étaient nombreux. Bien que Burghley, Francis Bacon et Robert Cecil lui suggérassent la modération, Elizabeth voulut un procès exemplaire. Il l'avait humiliée et cela, elle ne pouvait lui pardonner. Il fut traité comme un criminel. Pendant la lecture de l'acte d'accusation, on le força à rester à genoux, tête nue, et bien qu'il ne fût reconnu coupable que d'insubordination, la reine refusa qu'il revînt à la cour comme il le demandait. Elle ne voulut pas même le rencontrer. Lorsqu'elle s'opposa aussi au renouvellement de sa licence pour la perception de la redevance sur les vins doux, source de revenus qui lui était indispensable, la colère et le désespoir poussèrent Essex à l'acte insensé de la trahir. Il monta un complot et contacta James VI et lord Mountjoy. Il voulait que ce dernier débarquât en Angleterre et marchât sur Londres avec ses troupes, cependant que le roi écossais interviendrait au Nord. Elizabeth serait alors déposée, le Conseil débarrassé des « chenilles du Commonwealth », comme il appelait les « parvenus » du gouvernement, et James deviendrait roi d'Angleterre et d'Écosse. Mais le prudent roi écossais ne bougea pas, pas plus que Mountjoy, qui refusa de trahir sa reine. Essex ne rallia finalement qu'une poignée de gentilshommes. Il y avait parmi eux l'un des protecteurs de Shakespeare, le jeune Henry Wriothesley, troisième comte de Southampton, qui avait accompagné Essex en Irlande. En préparation du coup d'État qu'ils avaient organisé, Essex et ses amis commandèrent au dramaturge une pièce historique, *Richard II*, qui devait être jouée au *Globe Theatre* le 7 février 1601. La déposition de Richard par des nobles rebelles y était mise en scène. Robert Cecil était parfaitement au courant des préparatifs de coup d'État car Essex et ses amis ne montraient aucune discrétion dans leurs préparatifs et la rébellion tourna au fiasco : les meneurs furent arrêtés, jugés et condamnés à mort. La peine de Southampton, en raison de son jeune âge, fut commuée en emprisonnement à vie. Les comparses furent taxés de très lourdes amendes dont ils durent s'acquitter avant de pouvoir sortir de prison. Enfermé dans la Tour, Southampton fit peindre son portrait en compagnie de son chat. Revenu de son coup de folie, le jeune homme avait bien humblement demandé pardon.

Essex fut décapité le 25 février 1601. Il avait 34 ans. La reine avait signé sans hésitation son arrêt de mort. Tout vêtu de noir, mais portant un gilet rouge, il s'adressa à la foule, puis pria à haute voix ; puis, après avoir pardonné au bourreau agenouillé devant lui, comme le voulait l'usage, il s'allongea sur le billot, les bras étendus. En trois coups de hache, sa tête se détacha. Des ballades circulèrent dans les rues de Londres : on y louangeait le héros terrassé par ses ennemis à la cour :

L'orgueil de la douce Angleterre est parti,
Hélas, malheur à nous !
Le courage et l'honneur en lui resplendissaient
Bravement, bravement...

Une autre, propre à bouleverser les cœurs, s'intitulait *Le Dernier Bon Soir d'Essex* :

Ô vous tous qui clamez : « Pleurez ! Pleurez ! »
Venez donc avec moi chanter : « Ô mon Seigneur ! »
Pourquoi ? Notre joyau nous a quittés,
Le plus vaillant des chevaliers.

Que ressentit la reine le jour de l'exécution de son dernier favori ? Chagrin ? Colère ? Il l'avait assurément trahie. La conspiration et la mort d'Essex l'affectèrent visiblement. Sir John Harrington, l'un de ses fidèles serviteurs, écrivit que la reine dédaignait de se parer et ne mangeait plus que du pain blanc et du potage d'endive :

Elle marche beaucoup dans ses appartements privés, frappe du pied à chaque mauvaise nouvelle, et porte de grands coups de son épée rouillée à la tapisserie, dans ses accès de rage... Le danger est passé, mais elle garde toujours son épée près de sa table.

Puis Elizabeth se reprit. Elle recommença à monter à cheval et à se promener dans son parc, se remit à danser. Elle reçut l'envoyé de Venise, parée d'une constellation de bijoux et portant une perruque de couleur claire et gaie. Seulement, le cœur n'y était plus. Shakespeare ne fut pas inquiété. Son drame historique, *Richard II*, fut joué plus de quarante fois – mais la scène à Westminster Hall dans laquelle on voit Richard abdiquer en faveur de Bolingbroke fut supprimée. La reine dit quelques mois plus tard à un proche, non sans amertume : « Je suis Richard II, ne le savez-vous pas ? » Évoquant le passé, elle ajouta : « Jadis, c'était la force et les armes qui l'emportaient ; aujourd'hui, l'esprit du renard s'infiltre partout, si bien que rares sont les gens fidèles ou honnêtes. » La reine était lasse ; une atmosphère de fin de règne pesait sur la cour qui baignait dans une lumière glauque. Une ère nouvelle pointait à l'horizon : ses marins poursuivaient la conquête des mers et la découverte de territoires lointains ; une parcelle d'Amérique avait été nommée, en son honneur, « Virginia » par Raleigh ; elle-même ne s'éloignait plus guère de Londres. Déjà, de jeunes impatients regardaient ailleurs, vers le nord, vers les *Highlands,* vers James VI Stuart, vers un roi.

La fin d'une dynastie

Le 30 novembre 1601 dans l'après-midi, Elizabeth se rendit au Parlement. Lorsqu'elle fit son entrée, les 140 membres et le *speaker* de la chambre des Communes s'agenouillèrent. Ils présentèrent leurs demandes. À l'ordre du jour étaient les questions des monopoles concédés par patente royale et des taxes à la valeur ajoutée pour le consommateur. La reine acquiesça à toutes les demandes. Puis elle prononça un discours (dont il existe plusieurs versions), qui passa dans l'Histoire sous le nom de « *Golden Speech* », tant il frappa ses contemporains par sa lucidité et la profondeur de ses vues politiques ; mais, surtout, ce discours est une véritable déclaration d'amour de la reine à ses sujets :

> Je peux vous assurer qu'il n'y a aucun prince qui aime plus ses sujets, ou dont l'amour peut égaler notre amour. Il n'y a pas de bijoux, quel qu'en puisse être le prix, que je puisse placer au-dessus de ce joyau : je parle de votre amour. Car je l'estime plus que tous les trésors ou les biens ; ceux-ci, nous savons comment les estimer ; mais l'amour et la reconnaissance sont inestimables. Bien que Dieu m'ait élevée au sommet, ce qui fait la gloire de ma couronne est d'avoir régné avec votre amour. Je veux dire que ce dont je me réjouis le plus n'est pas que Dieu ait fait de moi une reine, mais la reine d'un peuple tel que vous. Je ne souhaite donc rien de plus que de contenter mes sujets ; c'est un devoir que je leur dois. Je ne souhaite pas non plus vivre au-delà du jour où je verrai votre prospérité ; c'est mon seul désir.
>
> [...]
>
> Je sais que le titre de roi est glorieux, mais vous pouvez être sûrs que la gloire étincelante de l'autorité princière ne nous a pas aveuglés au point que nous ayons oublié que nous devrons aussi rendre compte de nos actions devant le Grand Juge. Être un roi et porter une couronne est chose plus glorieuse pour ceux qui regardent que plaisante pour ceux qui la portent...

Elizabeth avait près de 70 ans, et bien qu'apparemment en bonne santé, nombreux furent ceux qui eurent le sentiment ce jour-là que son règne approchait de la fin et que c'était sans doute la dernière fois qu'elle apparaissait au Parlement. En fait, elle s'adressa une ultime fois aux Lords, lorsqu'elle vint pour dissoudre le Parlement le 19 décembre 1601. Son discours avait la même tonalité émotionnelle. Au cours de l'hiver suivant, elle prit froid, ne quitta plus ses appartements, mais refusa de s'aliter. Sir Robert Carey, un proche de Robert Cecil, l'entendit à maintes reprises soupirer. Elle ne voulut recevoir qu'un visiteur : l'archevêque de Canterbury Whitgift, qui pria à ses côtés. Elle mourut le jeudi 24 mars 1603, à 3 heures du matin. Avec elle s'éteignit la dynastie des Tudors.

Restait le problème de la succession. Il est évident qu'Elizabeth s'était résignée à ce que son cousin écossais lui succédât. Robert Cecil avait pris les dispositions nécessaires pour que James VI d'Écosse devînt James I d'Angleterre – et que le passage du pouvoir se fît en douceur. Quelques minutes après la mort de la reine, Carey galopait vers Édimbourg pour porter la nouvelle à James. Genou en terre, il le salua par le titre de roi d'Angleterre, d'Écosse, de France et d'Irlande. La délégation officielle arriva deux jours plus tard.

Le 6 avril 1603, James traversa la rivière Tweed à Berwick et se dirigea lentement vers le sud en compagnie de ses courtisans et des gentilshommes venus à sa rencontre. Un nouveau règne commençait. Il ne fallut que quelques années de pouvoir sous les Stuarts pour que revive la reine Elizabeth.

Postérité

Fut-elle la plus grande des reines ? Ou faut-il dire que son règne fut grand car il appartenait à une période glorieuse de l'histoire anglaise ? On pense à cette phrase que Shakespeare met dans la bouche du pédant Malvolio dans la *Nuit des rois*, une comédie qui se joua à la cour devant Elizabeth à la fin de sa vie :

> Il en est qui sont grands de naissance, d'autres qui se hissent jusqu'à la grandeur, et certains à qui la grandeur est conférée.

Pour reprendre l'expression heureuse de Bernard Cottret : Elizabeth exerça la « royauté au féminin ». Il est évident qu'Elizabeth fut femme dans ses choix politiques et, avec habileté et prudence, qu'elle s'efforça de maintenir son pays dans la paix. D'une certaine manière, elle reste une énigme à cause de sa volonté de demeurer vierge alors que les autres Tudors avaient été littéralement obsédés par le désir d'enfants – et d'enfants mâles – afin de perpétuer la dynastie. Sous les Stuarts, c'est en tout cas avec regret et nostalgie que les Anglais regardèrent vers l'époque de la reine Elizabeth ; et chaque 17 novembre, jour de son avènement, les cloches sonnaient joyeusement par tout le royaume. De très puritains ministres, oubliant la querelle des rites, associèrent son nom à celui du « bon roi Asa », qui avait extirpé l'idolâtrie du royaume de Juda. La rupture définitive avec Rome, sous Elizabeth, mettait en relief à leurs yeux le rôle exceptionnel de l'Angleterre dans le plan de Dieu.

Henry VIII bénéficia aussi d'un traitement de faveur auprès des déçus de l'ère Stuart. L'anti-catholicisme des Anglais l'emporta sur la réalité historique : en tant que monarques souverains sur leurs propres territoires, en devenant les chefs suprêmes de l'Église, Henry et son fils Edward avaient établi la « vraie » religion en Angleterre, se gagnant la faveur divine. Autour des Tudors, des légendes se sont construites. Comme leur histoire sera surtout racontée par des protestants, on oubliera vite les martyrs des règnes de Henry VIII et d'Elizabeth pour ne se souvenir que de ceux de Mary à laquelle la postérité donna le nom de « Mary la Sanglante ». Il reste que l'appréciation des rois et reines Tudor diverge selon les historiens, lesquels souvent jugent à l'aune de leur propre époque et appartenance religieuse ou politique. À la fin de l'ère Stuart, durant la crise de 1679-1681, une feuille satirique proclamait :

> Un Tudor, un Tudor ! Nous en avons assez des Stuarts ! Personne n'a jamais régné comme la chère Bess dans sa collerette.

Henry VIII avait porté la majesté royale à des sommets et les visiteurs étrangers témoignèrent du lustre de sa cour. Pourtant, en France, il fait plutôt figure de croque-mitaine, de Barbe-Bleue, de despote sanguinaire. On ne peut certes lui trouver d'excuses pour son mépris de la vie humaine. Mais despote, il ne le fut pas. Ce serait oublier le rôle du Parlement dans la monarchie anglaise. On ne peut non plus trouver d'excuses à la chère Bess pour ses caprices, ses colères et le traitement humiliant qu'elle infligea parfois à ses favoris et à ses serviteurs. En revanche, la question de l'exécution de Mary Stuart demande à être plus nuancée qu'elle ne l'est généralement – surtout en France – car vivante, elle représentait une menace permanente pour Elizabeth et son royaume. Pour la stabilité de l'Angleterre, il fallait sans doute qu'elle meure.

De Henry VII à Elizabeth, les Tudors n'ont pas fini de nous surprendre et de nous fasciner. Les mémorialistes idéalisèrent l'ère élisabéthaine. Un contemporain, William Camden, rédigea les *Annales* de son règne et une *Histoire de la plus célèbre et victorieuse princesse Elizabeth, reine défunte d'Angleterre* qui fait toujours autorité. Il conçut son ouvrage comme un monument à la gloire des hauts faits de la reine Elizabeth et de son gouvernement. Ce n'est pas une hagiographie, mais un récit sobre et précis des accomplissements de son règne, suffisant à ses yeux pour commander « l'admiration du monde et de la postérité ». Il laisse les faits parler d'eux-mêmes.

Le poète Edmund Spenser, lui, chanta ses louanges dans un chef-d'œuvre de la littérature anglaise du XVIᵉ siècle : *The Faerie Queene*. Il le fait sous la forme d'un récit aux personnages allégoriques qui témoigne de l'influence calvinienne de sa pensée et de l'intérêt des Anglais du temps pour les vieilles légendes arthuriennes, remises au goût du jour par sir Thomas Malory et par William Paxton un siècle plus tôt. *The Faerie Queene* nous rappelle aussi que la période élisabéthaine fut l'âge d'or de la poésie féerique anglaise. Elizabeth y est Gloriana ; elle y est aussi Belphoebe, la vierge poursuivie dans les bois par des soupirants qu'elle tient à distance. Le pays de Féerie et sa reine fusionnent pour former l'Angleterre d'Elizabeth. Le poète se fait aussi mémorialiste et immortalise la dynastie Tudor en la reliant à la tradition arthurienne : il a choisi Arthur le preux pour héros, écrit-il à Walter Raleigh pour lui présenter son œuvre, « parce qu'il est le plus éloigné des vices de l'époque que sont l'envie et la suspicion ». Arthur est fou d'amour pour la reine des fées, la pure et vertueuse Gloriana, qui descend « d'un lignage de rois et de reines qui avaient tenu jadis le sceptre, des rivages de l'Est aux rivages de l'Ouest ».

Shakespeare fut-il aussi un déçu de l'ère Stuart ? Dans *Henry VIII*, pièce à grand spectacle qu'il fit jouer à la fin de sa vie, il exalte le mythe Tudor en célébrant la gloire de Henry VIII et celle de sa fille Elizabeth. Il met en scène, à l'acte V, Cranmer prédisant sur les fonts baptismaux le destin de l'enfant Elizabeth qui fera la gloire du royaume :

Cette royale enfant – le ciel soit toujours avec elle –
Bien qu'en son berceau promet déjà pourtant
Pour ce royaume mille et mille bienfaits
Que le temps mûrira. Elle sera – mais parmi
Ceux qui vivent aujourd'hui, peu peuvent voir cette perfection –

Le modèle des Princes de son temps et de tous ceux
Qui suivront [...]
Saintes et célestes pensées seront toujours ses guides.
Elle sera aimée et crainte ; les siens la béniront ;
Ses ennemis trembleront comme fait un champ de blé
Dont les épis battus s'inclinent tristement. Le bien
Croîtra avec elle. En son temps chacun mangera en sûreté
Sous sa vigne ce qu'il aura planté et chantera
De joyeux airs de paix pour tout le voisinage.

Elizabeth s'est hissée à la grandeur, mais elle y a été aussi hissée par ses contemporains et par les nostalgiques de l'ère Tudor qui en ont fait un emblème de la monarchie anglaise. Et comment échapper à l'envoûtement du mythe, lorsqu'il a pour auteur un Spenser ou un Shakespeare ? Reste que si le règne d'Elizabeth fut grand, elle le doit aussi à son peuple. Les Anglais, autant que leur souveraine, portent la responsabilité de la grandeur et de la sécurité du royaume en un temps où les conflits religieux, les complots et les assassinats projetaient leur ombre sinistre sur les monarchies européennes.

Chronologie

1337-1453. Guerre de Cent Ans.

1455-1485. Guerre des Deux-Roses.

1457. Naissance de Henry Tudor.

1485. Bataille de Bosworth. Mort de Richard III. Henry Tudor devient roi et épouse Elizabeth d'York.

1486. Naissance d'Arthur, prince héritier.

1491. Naissance de Henry, futur Henry VIII.

1499. Traité de paix entre l'Angleterre et l'Écosse.

1501. Mariage d'Arthur avec Catherine d'Aragon

1502. Mort d'Arthur. Henry devient prince héritier

1503 (23 juin). Traité anglo-espagnol pour le mariage de Henry avec Catherine. Mort d'Elizabeth d'York.

1505. Publication en Angleterre de la bulle de dispense pour le mariage de Henry et de Catherine. Henry désavoue officiellement le contrat d'engagement de mariage passé deux ans plus tôt.

1509. Mort du roi Henry VII ; avènement de Henry VIII, qui épouse Catherine d'Aragon.

1515. Victoire de Marignan remportée par François Ier.

1516. Naissance de la princesse Mary, fille de Henry VIII et de Catherine d'Aragon. Le pape Léon X négocie un concordat avec la France.

1517. Publication sur l'église de Wittenberg des 95 thèses de Martin Luther sur la « vertu des indulgences ».

1520. Parution des grands traités de Luther : « À la noblesse chrétienne de la nation allemande… » ; Prélude sur la captivité babylonienne de l'Église. Traité sur la liberté chrétienne. Entrevue entre Henry VIII et François Ier au camp du Drap d'or.

1521. Excommunication de Luther. Henry VIII entreprend la rédaction de son traité *Assertio septem Sacramento* pour réfuter la position de Luther sur les sacrements. Le pape Léon X le fait « Défenseur de la foi ».

1525. Défaite française à Pavie.

1526. Henry VIII rencontre Anne Boleyn

1527. Sac de Rome par les impériaux. Henry VIII décide de répudier Catherine d'Aragon.

1529. Catherine d'Aragon demande que le procès en divorce soit jugé à Rome ; Henry ordonne que le procès se tienne en Angleterre. Ouverture du procès aux Blackfriars à Londres.

1530. Charles Quint couronné empereur ; diète d'Augsbourg ; rupture des catholiques et des protestants. Thomas Wolsey, arrêté pour haute trahison, meurt à Leicester.

1531. Formation de la ligue de Smalkade. Entrevue de Boulogne entre Henry VIII et François Ier.

1533. Le roi épouse secrètement Anne Boleyn. Thomas Cranmer est nommé archevêque de Canterbury. Le *Reformation Parliament* déclare nul le mariage de Henry VIII et de Catherine d'Aragon et valide celui du roi avec Anne Boleyn. Couronnement d'Anne Boleyn. Naissance d'Elizabeth, fille de Henry VIII et d'Anne Boleyn.

1534. Mort de Clément VII. Élection de Paul III. Le *Reformation Parliament* se réunit par deux fois et fait adopter l'Acte de suprématie, l'Acte sur la soumission du clergé et l'Acte sur l'établissement de la succession du roi.

1535. Henry VIII ajoute à ses titres « *on earth Supreme head of the Church of England* ». Exécution de Thomas More.

1536. Mort de Catherine d'Aragon. Première édition latine de *L'Institution chrétienne* de Calvin. Première cession de l'*Irish Reformation Parliament*, Henry prend le titre de « *Only Supreme Head in earth of the whole Church of Ireland* ». Exécution d'Anne Boleyn. Mort de Henry Fitzroy, fils bâtard de Henry VIII. Révolte du Yorkshire.

1537. Fin de la révolte du Yorkshire : exécution de 200 personnes. Naissance d'Edward, fils de Henry VIII et de Jane Seymour. Mort de Jane Seymour.

1538. Campagne de dissolution des quatre ordres mendiants et fermeture des lieux de pèlerinage. Paul III excommunie Henry VIII.

1539. Ordre de détruire les images et les lieux de pèlerinage en Irlande.

1540. Mariage de Henry VIII et d'Anne de Clèves. Publication de la « Grande Bible ». Arrestation de Cromwell. Annulation du mariage de Henry VIII avec la princesse de Clèves. Exécution de Cromwell. Henry VIII épouse Catherine Howard.

1541. Henry VIII prend le titre de roi d'Irlande.

1542. Exécution de Catherine Howard. Mort de James V d'Écosse. Mary Stuart, âgée de huit jours, devient reine des Écossais.

1543. Henry VIII épouse Catherine Parr.

1544-1545. Henry attaque les Français. Triple offensive française contre les Anglais en retour.

1546. Paix d'Ardres avec la France. Henry VIII modifie son testament et nomme un conseil de régence.

1547. Mort de Henry VIII. Edward Seymour est nommé protecteur et gardien du roi par le conseil, puis est créé duc de Somerset. Mort de François Ier. Avènement de Henri II.

1548. Interdiction de quatre cérémonies religieuses. Ordre de détruire les images pieuses. Le gouvernement impose l'ordre de Communion préparé par Thomas Cranmer.

1549. Parution du premier *Livre de prière commune*. Le duc de Somerset est destitué.

1550. John Dudley, comte de Warwick, est nommé lord président du conseil. Le conseil ordonne le remplacement des autels, dans les églises, par des tables de communion.

1552. Entrée en vigueur du deuxième *Livre de prière commune*. Acte concernant le mariage des prêtres et la légitimité des enfants.

1553. Mort d'Edward VI. Jane Grey déclarée reine. Jane Grey destituée et accession de Mary I. Arrestation de Hugh Latimer, Thomas Cranmer, John Hopper et d'autres.

1554. Exécution de Jane Grey. Mariage de Mary Tudor avec Philippe II d'Espagne.

1555. Reginald Pole nommé évêque de Canterbury.

1556. Exécution de Thomas Cranmer. Pole accueille l'Angleterre dans l'Église catholique romaine. Charles Quint abandonne l'Espagne et ses possessions au profit de son fils Philippe II ne gardant que le titre d'empereur.

1557. Mary Tudor déclare la guerre à la France. L'Angleterre perd Calais.

1558. Mort de Mary I. Parution du *First Blast of the Trumpet against the Monstruous Regimen of Womende* de John Knox. Accession d'Elizabeth I.

1559. Premier Parlement du règne d'Elizabeth. Acte de suprématie déclarant que la reine est gouverneur suprême de l'Église et Acte d'uniformité imposant le *Livre de prière commune*. Parution à Strasbourg des *Acts and Monuments* de John Fox. Révolte aristocratique en Écosse. Traité du Cateau-Cambrésis. Mort d'Henri II. Accession de François II au trône de France.

1560. Parution de la Bible de Genève. Mort de François II. Accession de Charles IX au trône de France. Mort mystérieuse d'Amy Robsart, épouse de Robert Dudley.

1561. Colloque de Poissy.

1562. Massacre de Wassy par François de Guise. Commencement des guerres de Religion en France. Traité d'assistance entre l'Angleterre et les huguenots.

1563. Adoption des *Trente-Huit Articles* anglicans.

1564. Paix de Troyes. Les Anglais perdent définitivement Calais. Mary Stuart épouse lord Darnley.

1566. Naissance de James, fils de Mary Stuart et de lord Darnley.

1567. Assassinat de Darnley. Mary épouse James Hepburn, comte de Boswell. Arrestation de Boswell. Révolte des lords écossais. Mary est forcée d'abdiquer en faveur de son fils. Mary s'enfuit d'Écosse et se réfugie en Angleterre.

1570. Le pape Pie V excommunie la reine Elizabeth et délie les catholiques anglais de leur fidélité à leur souveraine.

1571. Adoption des *Trente-Neuf Articles* constituant la confession de foi de l'Église d'Angleterre. Acte sur la trahison. Découverte du complot Ridolfi.

1572. Massacre de la Saint-Barthélemy.

1574. Mort du roi Charles IX. Accession d'Henri III au trône de France. Alençon devient duc d'Anjou.

1584. Mort du duc d'Anjou. Henri de Navarre devient prétendant au trône de France. Assassinat de Guillaume d'Orange dit le Taiseux. Pacte d'association pour la défense de la reine Elizabeth.

1585. Leicester nommé gouverneur des États et commandant en chef des armées aux Pays-Bas. Robert Devereux arrive à la cour. Établissement de l'éphémère colonie de Roanoke en Virginie.

1586. Découverte d'un complot catholique organisé contre Elizabeth avec l'accord de Mary Stuart.

1587. Exécution de Mary Stuart. Drake attaque la flotte espagnole à Cadix.

1588. Victoire anglaise contre la *Gran Armada*. Mort de Robert Dudley, comte de Leicester.

1589. Assassinat en France d'Henri III. Henri de Navarre devient Henri IV.

1591. Essex porte assistance à Henri IV.

1595. Mort de Francis Drake et de John Hawkins.

1596. Prise de Cadix par Essex.

1598. Mort de Philippe II. Essex part rétablir l'ordre en Irlande.

1599. Mort de William Cecil, lord Burghley.

1601. Complot d'Essex contre la reine. Arrestation et exécution d'Essex. L'Irlande est reconquise par lord Mountjoy.

1603 (24 mars). Mort d'Elizabeth.

Bibliographie sélective

Sources imprimées

Calendar of State Papers, foreign and domestic, in the reign of Henry VIII, Edward VI, Mary, Elizabeth I, http://www.british-history.com

CAMDEN William, *The History of the most renowned and victorious Princess Elizabeth, late Queen of England*, Wallace T. MacCaffrey (ed.), Chicago-Londres, University of Chicago Press, 1970.

Correspondance politique d'Odet de Selve, ambassadeur de France en Angleterre, Paris, Felix Alcan, 1888.

DEVEREUX Walter B., *Lives and letters of the Devereux, earls of Essex*, 2 vol., Londres, J. Murray, 1653.

FOXE John, *The Acts and Monuments of John Foxe... ed. par le Rev. Stephen Reed Cattley*, 8 vol., Londres, 1839-1841.

HARRISON G.B., *The Letters of Queen Elizabeth I*, Wesport (Con.), Greenwood Press Publisher, 1981.

KAULEK Jean (ed.), *Correspondance politique de MM. de Castillon et de Marillac (1537-1542)*, Genève, Slatkine, 1971.

Letters and Papers, Foreign and Domestic, in the reign of Henry VIII, Edward VI, Mary, Elizabeth, James VI, http://www.british-history.com

Lettres de Henry VIII à Anne Boleyn, Paris, Crapelet, 1826.

MARCUS Leah S., MUELLER Janel, ROSE Mary-Beth (eds.), *Elizabeth I. Collected Works*, Chicago, Chicago University Press, 2000.

POLLARD A.F. (ed.), *The Reign of Henry VII. Contemporary sources*, 3 vol., New York, AMS Press, 1967.

Primary Sources, *Eyewitness Accounts of People and Events in Tudor England*, http://englishhistory.net/tudor/primary.html.

SHAKESPEARE William, *Œuvres complètes*, Michel Grivelet et Gilles Montsarat (éd.), Paris, Robert Laffont, « Bouquins », 1995-2002.

Tudor Royal Proclamations, P. L Hughes, J. F. Larkin (eds.), 3 vol., New Haven-Londres, Yale University Press, 1964.

WRIGHT Thomas, *Queen Elizabeth and her time. À series of original letters*, 2 vol., Londres, Henry Colburn Publisher, 1838.

ÉTUDES ET MONOGRAPHIES

BAKER Derek (ed.), *Reform and Reformation : England and the Continent, c. 1500-1750*, Oxford, Basil Blackwell, 1979.

CHAUNU Pierre, *Le Temps des Réformes. La Crise de la Chrétienté. L'Éclatement (1250-1550)*, Paris, Fayard, 1975.

COLLINSON Patrick, *The Religion of Protestants : The Church in English Society (1559-1625)*, Oxford, Clarendon Press, 1998.

—, *Elizabeth I*, Oxford, New York & Oxford University Press, 2007.

— (ed.), *The Sixteenth Century. 1485-1603*, Oxford, Oxford University Press, 2002.

COTTRET Bernard, *Henri VIII. Le Pouvoir par la force*, Paris, Payot, 1999.

—, *Histoire de l'Angleterre. De Guillaume le Conquérant à nos jours*, Paris, Tallandier, 2007.

—, *La Royauté au féminin. Élisabeth Iʳᵉ d'Angleterre*, Paris, Fayard, 2009.

CRÉTÉ Liliane, *Coligny*, Paris, Fayard, 1985.

CUNNINGHAM Sean, *Henry VII*, Londres-New York, Routledge, 2007.

DICKENS A. G., *The English Reformation*, University Park, Pensylvania State University Press, 1991.

DUCHEIN Michel, *Jacques Ier Stuart*, Paris, Presses de la Renaissance, 1985.

—, *Élisabeth Ire d'Angleterre*, Paris, Fayard, 1992.

DURSTON Christopher, EALES Jacqueline (eds.), *The Culture of English Puritanism*, 1560-1700, Londres, McMillan Press, 1996.

ELTON Geoffrey R., *England under The Tudors*, Londres-New York, 1955, Routledge, 1991.

FROUDE James Anthony, *The Reign of Mary Tudor*, Charleston, Bibliobazaar, 2007.

GARRET Christina H., *The Marian Exiles*, Cambridge-Londres, Cambridge University Press, 1938.

GIRY-DELOISON Charles, *Le Schisme d'Henri VIII*, Neuilly-sur-Seine, Atlande, 2006.

GUY John (ed.), *The Reign of Elizabeth I : Court and Culture in the Last Decade*, Cambridge, Cambridge University Press, 1995.

HAIGH Christopher, *English Reformation : Religion, Politics, and Society under the Tudors*, Oxford, Oxford University Press, 1993.

HAIGH Christopher (ed.), *The Reign of Elizabeth I*, Londres, The MacMillan Press, 1985.

HAMMER Paul F. J., *The Polarization of Elizabethan Politics : The political career of Robert Devereux, 2nd earl of Essex (1585-1597)*, Cambridge, Cambridge University Press, 1999.

JACQUART Jean, *François Ier*, Paris, Fayard, 1981.

JONES Norman, *The English Reformation. Religion and Cultural Adaptation*, Oxford, Blackwell Publishers, 2002.

LAPEYRE Henri, *Les Monarchies européennes au XVIe siècle*, Paris, PUF, 1973.

LOADES David, *England's Maritime Empire ; Seapower, Commerce and Policy*, Harlow (Essex), Londres, Pearson Education, 2000.

MACCAFFREY Wallace T., *Elizabeth I : War and Politics 1588-1603*, Princeton (N.J.), Princeton University Press, 1992.

MACCULLOCH Diarmaid, *The Later Reformation in England 1547-1603*, New York, Palgrave (1990), 2001.

—, *Thomas Cranmer : a Life*, New Haven-Londres, Yale University Press, 1996.

—, *The Boy King : Edward VI and the Protestant Reformation*, New York, Palgrave, 2001.

—, *Reformation : Europe's House Divided 1490-1700*, Londres, Allen Lane, 2003.

— (ed.), *The reign of Henry VIII. Politics and Piety*, Londres, MacMillan Press, 1995.

MARSHALL Peter (ed.), *The Impact of English Reformation 1500-1640*, Londres-New York-Sydney, Arnold, 1997.

O'DAY Rosemary, FELICITY Heal (eds.), *Church and Society in England : Henry VIII to James I*, Londres, MacMillan Press, 1977.

RIDLEY Jasper, *Elizabeth I : The Shrewdness of Virtue*, Londres, Penguin Books (1987), 2002.

SCARISBRICK John Joseph, *Henry VIII*, Berkeley, University of California Press (1968), 1984.

STARKEY David, *The reign of Henry VIII. Personalities and Politics*, New York, G. Philips, 1985.

—, *Elizabeth*, London, Vintage Book, 2000.

—, *Henry. Virtuous Prince*, Londres-New York, Harper Perennial, 2009.

THOMAS Keith, *Religion and the Decline of Magic, Studies in popular beliefs in sixteenth and seventeenth century England* (1971), Londres, Weidenfeld and Nicolson, 1980.

ARTICLES ET ESSAIS

COTTRET Bernard, « Traducteurs et divulgateurs clandestins de la Réforme dans l'Angleterre henricienne », *Revue d'histoire moderne et contemporaine*, 28, 1981, p. 464-480.

DANNER D. G., « The Contribution of the Geneva Bible of 1560 to the English Protestant Tradition », *Sixteenth Century Journal*, vol. 12-13, 1981, p. 5-18.

FINCHAM Kenneth, « Clerical Conformity from Whitgift to Laud », *in* Peter Lake, Michael Questier (eds.), *Conformity and Orthodoxy in the English Church*, Woodbridge, Boydell, 2000, p. 125-158.

BIBLIOGRAPHIE SÉLECTIVE

GINSBERG David, « Ploughboys versus Prelates : Tyndale and More and the Politics of Biblical Translation », *Sixteenth Century Journal*, 19, 1988, p. 45-61.

GIRY-DELOISON Charles, « Entre politique intérieure et politique étrangère : les fondements de la religion anglicane (1529-1571) », *in* Alain Joblin, Jacques Sys (éd.), *L'Identité anglicane*, Arras, Artois Presses Université, 2004, p. 25-58.

HEALY Robert M., « Waiting for Deborah : John Knox and Four Ruling Queens », *Sixteenth Century Journal*, 25, 1994-1992, p. 371-386.

WRIGHT David F., « Bucer and England – and Scotland », *in* Christian Krieger, Marc Lienard (eds.), *Martin Bucer and Sixteenth Century Europe*, Actes du colloque de Strasbourg, 28-31 août 1991, 2 vol., Leyde, Brill, 1993, II, p. 523-532.

Index

Table

Composition et mise en page

NORD COMPO
m u l t i m é d i a

CET OUVRAGE
A ÉTÉ REPRODUIT
ET ACHEVÉ D'IMPRIMER
SUR ROTO-PAGE
PAR L'IMPRIMERIE FLOCH
À MAYENNE EN SEPTEMBRE 2010

N° d'édition : L.01EHBN000339.A003. N° d'impression : 77769.
Dépôt légal : août 2010.
Imprimé en France